MINECRAFT

1. Auflage 2024

Die englische Originalausgabe erschien 2023 unter dem Titel
„MINECRAFT Explorer's Handbook" bei Farshore.
An Imprint of HarperCollins*Publishers*
1 London Bridge Street, London SE1 9GF
www.farshore.co.uk

Special thanks to Sherin Kwan, Alex Wiltshire, Jay Castello and Kelsey Ranallo.

Übersetzung aus dem Englischen: Maxi Lange
Umschlag und Satz: Achim Münster, Overath
In Anlehnung an das englische Original

ISBN 978-3-505-15158-3
Printed in Italy

www.schneiderbuch.de
Facebook: facebook.de/schneiderbuch
Instagram: @schneiderbuchverlag

ONLINE-SICHERHEIT FÜR JÜNGERE FANS

Online spielen macht Spaß! Um die Minecraft-Welt auch im Internet unbeschwert genießen zu können, solltest du ein paar Regeln beachten:

- Gib niemals deinen richtigen Namen an. Verwende ihn nicht als Benutzernamen.
- Mache niemals Angaben zu deiner Person.
- Erzähle niemandem, welche Schule du besuchst oder wie alt du bist.
- Vertraue niemandem dein Passwort an, außer deinen Eltern oder Erziehungsberechtigten.
- Für viele Webseiten musst du mindestens 13 Jahre alt sein, wenn du dort ein Benutzerkonto einrichten willst. Bitte deine Eltern oder Erziehungsberechtigten um Erlaubnis, bevor du dich registrierst.
- Wenn dich irgendetwas verunsichert, sprich mit deinen Eltern oder Erziehungsberechtigten darüber.

Jede der in diesem Buch aufgeführten Webadressen war zur Drucklegung aktuell. Dennoch kann HarperCollins keine Verantwortung für den angebotenen Inhalt Dritter übernehmen. Bitte nehmen Sie zur Kenntnis, dass sich im Internet angebotene Inhalte ändern und nicht für Kinder geeignete Inhalte auf Webseiten auftauchen können. Wir empfehlen, Kinder zu beaufsichtigen, wenn diese das Internet benutzen.

MINECRAFT

DAS ENTDECKER-HANDBUCH

INHALT

DEINE REISE BEGINNT

GEMÄSSIGTE LANDSCHAFTEN

HEISSE LANDSCHAFTEN

KALTE LANDSCHAFTEN

WASSERLANDSCHAFTEN

UNTERIRDISCHE LANDSCHAFTEN

DER NETHER

DAS ENDE

WILLKOMMEN BEIM ENTDECKER-HANDBUCH FÜR MINECRAFT!

Die Welt von Minecraft besteht aus zahlreichen abwechslungsreichen Gegenden. Du kannst Ebenen besuchen, um Pferde zu zähmen, und auf der Suche nach Papageien und Pandas dichte Dschungel erkunden. Wage dich in mysteriöse Pyramiden in sandigen Wüsten oder erklimme eisige Gipfel, um übers gefrorene Meer zu blicken.

Nicht zu vergessen – der Nether und das Ende! Dort mag es gefährlich sein, aber seltene Ressourcen und aufregende Abenteuer erwarten alle Wagemutigen, die wissen, wie man dort überlebt.

Dieses Buch wird dir bei deiner Abenteuersuche helfen. Ob du herausfinden möchtest, wie man auf die höchsten Berge klettert, oder lieber am tiefen Meeresgrund mit den Tintenfischen tauchst – dieser Leitfaden beleuchtet alle Biome, verrät dir, wo du sie findest und welche Herausforderungen dir bevorstehen.

Egal, ob deine Minecraft-Reise gerade erst beginnt oder du bereits zu den Veteranen gehörst – gleich hinter dem nächsten Hügel gibt es bestimmt etwas Neues zu sehen ...

ALSO DANN, AUF INS ABENTEUER!

- MOJANG STUDIOS

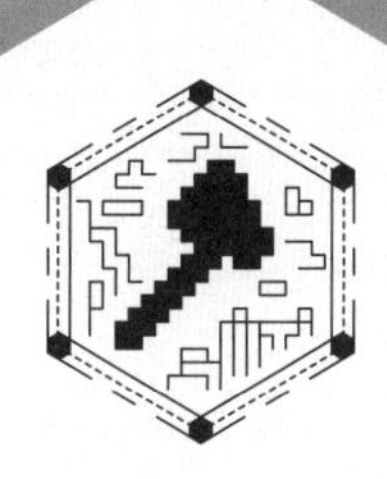

DAS ABENTEUER BEGINNT

Jede Reise hat ihren Anfang und allein die Tatsache, dass du dieses Buch aufgeschlagen hast, zeigt, dass du bereit bist, deine eigene anzutreten. Doch während es verlockend sein kann, sich kopfüber ins Abenteuer zu stürzen, solltest du dich gut vorbereiten. Beginnen wir mit einem Blick auf die grundlegenden Fertigkeiten, die du brauchst, wenn du die Oberwelt erkunden willst.

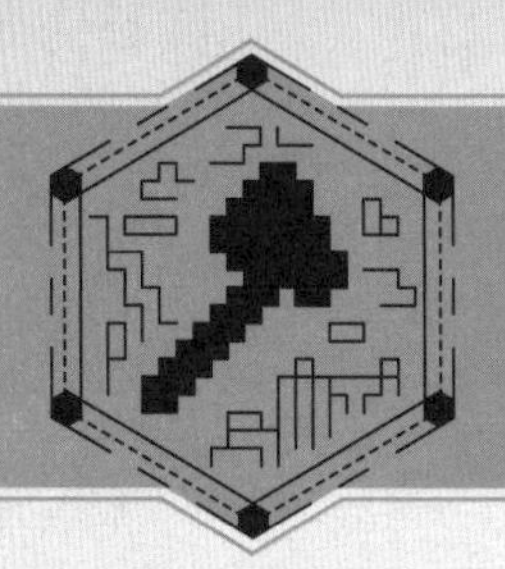

ZU HAUSE IST'S AM SCHÖNSTEN

SAMMELN

Zuallererst halte nach Bäumen Ausschau und sammle Holz von den Baumstämmen. Öffne das Herstellungsmenü, um daraus Bretter zu machen, und baue eine Werkbank.

HERSTELLEN

Fertige mehr Bretter aus dem gesammelten Holzvorrat und daraus Stöcke. Aus ihnen kannst du Werkzeug machen, zum Beispiel eine Holzspitzhacke. Nutze sie, um Bruchstein abzubauen, und fertige dann Steinwerkzeuge an.

Werkbank-Rezept

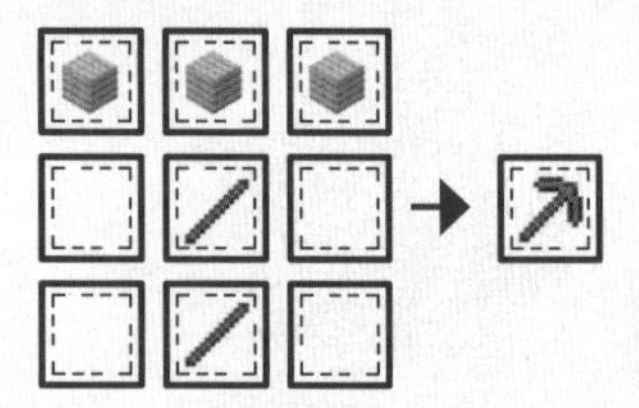

Holzspitzhacke-Rezept

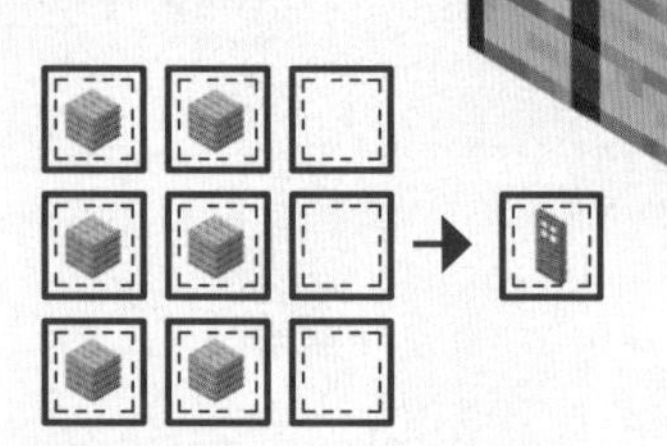

Eichenholztür-Rezept

BAUEN

Nachts kommen die Monster. Schütze dich, indem du aus Bruchstein ein einfaches Haus mit Flachdach baust. Es darf ruhig winzig sein – 4×5 Blöcke reichen aus. Zum Schluss setze eine Holztür ein – so kommst du rein und raus, aber die Monster nicht.

TOP-TIPP

Anfangs nur das Allernötigste zu sammeln, kann verlockend sein, aber fast alle Materialien können in Stapeln von 64 Stück aufbewahrt werden – also sammle ruhig etwas mehr ein!

Du bist gespawnt – willkommen in der Oberwelt! Hier gibt es so viel zu sehen, dass du bestimmt gleich loslegen willst, aber zuerst solltest du ein paar wichtige Vorbereitungen treffen. Die Welt ist zwar superspannend, aber wenn die Nacht hereinbricht, kann es gefährlich werden.

WICHTIGE GEGENSTÄNDE

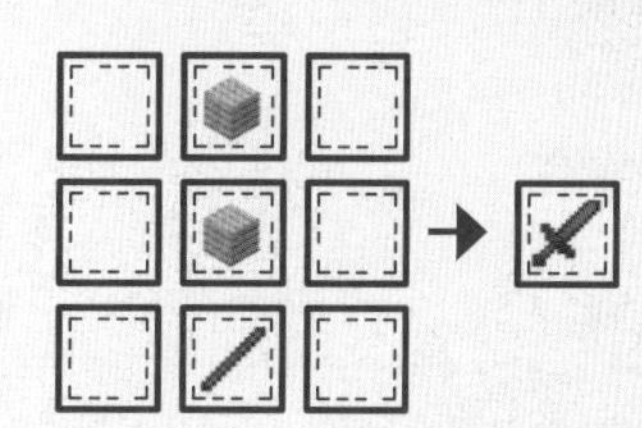

Holzschwert-Rezept

WAFFEN

So schön die Oberwelt ist – sie birgt Gefahren, gegen die du dich verteidigen musst. Vor manchen kannst du davonlaufen, aber hin und wieder wirst du Waffen wie ein Schwert oder einen Bogen brauchen.

WERKZEUG

Steinwerkzeuge halten zwar länger als hölzerne, aber auch sie nutzen sich ab und müssen irgendwann ersetzt werden. Am besten fertigst du gleich mehrere an, um nicht plötzlich mit leeren Händen dazustehen.

Ofen-Rezept

Bett-Rezept

NAHRUNG

Aus 8 Bruchsteinblöcken kannst du einen Ofen herstellen. Darin kannst du Nahrung zubereiten, z. B. Steak oder Hammelfleisch. Außerdem kannst du mit ihm Erze einschmelzen – für haltbarere Werkzeuge und Waffen.

BETT

Ein Bett ermöglicht dir nicht nur, die Nacht zu überspringen, es dient auch als dein Spawnpunkt. Das heißt, falls du im Spiel stirbst, wirst du dort wiederbelebt. Für die Herstellung brauchst du Bretter und Wolle von Schafen.

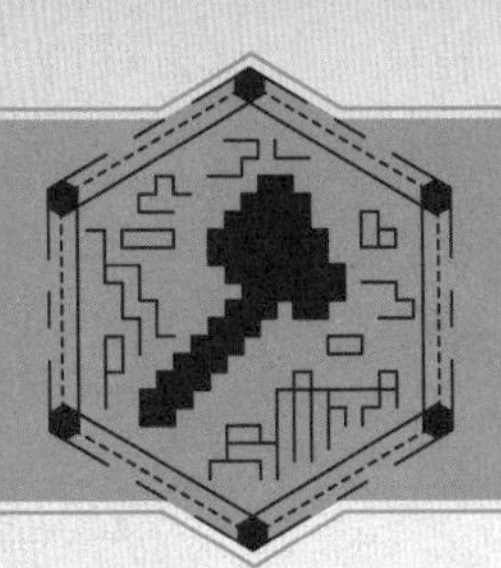

GEFAHREN UND BEUTEGLÜCK

BEUTE

DIAMANTEN

Mit einer Eisenspitzhacke (oder einer besseren) kannst du Diamanterz abbauen, das jeweils einen Diamanten hergibt. Daraus können bessere Rüstung und Ausstattung mit erhöhter Haltbarkeit und größerer Schadenswirkung hergestellt werden.

EISEN

Eisenerz findest du vor allem unter der Erde. Baust du es ab, erhältst du Roheisen, welches im Ofen zu Eisenbarren eingeschmolzen werden kann. Nutze sie, um bessere Waffen und Rüstung anzufertigen.

GOLD

Mit Eisenspitzhacken (oder besseren) baust du Gold ab. Goldausrüstung beschert dir schnelleres Abbauen und bessere Verzauberungen, aber eine geringe Haltbarkeit. Außerdem lassen sich damit nicht alle Blöcke abbauen.

TOP-TIPP

Wenn du Monster besiegst, lassen sie oft Gegenstände und Materialien fallen. Skelette zum Beispiel droppen Pfeile, Zombies manchmal sogar Waffen. Viele Tiere hinterlassen Fleisch, das du zubereiten und essen kannst, um deinen Hunger zu stillen.

Da draußen wartet eine ganze Welt, die erkundet werden will, und sie ist voller besonderer Orte und nützlicher Ressourcen. Hinter jeder Ecke in jeder Höhle könnte wertvolle Beute warten – aber die Gefahr ist nie weit ...

GEFAHREN

MONSTER

Monster (feindliche Mobs) sind aggressiv und greifen dich an, sobald sie dich entdecken. In diesem Handbuch erfährst du, wie du dich am besten vor ihnen schützt.

LAVA

In der Oberwelt gibt es überall Lava. Ihr warmer Schein mag verlockend sein, aber komm ihr nicht zu nahe – sie kann tödlich sein.

WASSER

Die Oberwelt ist Heimat zahlreicher Ozeane und Flüsse. Du kannst die Luft nur 15 Sekunden anhalten, also erkunde sie mit Vorsicht.

PULVERSCHNEE

Pulverschnee kommt nur an besonders kalten Orten vor. Ohne Vorsichtsmaßnahmen versinkst du darin, bewegst dich verlangsamt und erleidest nach und nach Kälteschaden.

HÖHEN

Auf Berge zu klettern, macht Spaß. Die Aussicht von ganz oben ist wunderschön, aber Abstürze können gefährlich sein. Fällst du ungeschützt aus 23 Blöcken Höhe, stirbst du.

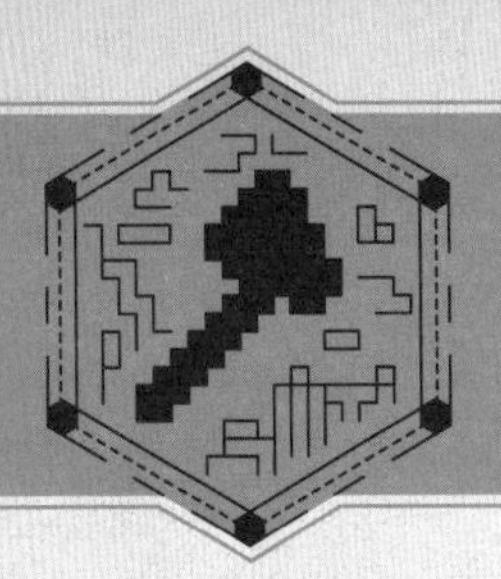

RÜSTUNG

SCHUTZ

Eine Rüstung kann den Unterschied zwischen Leben und Tod bedeuten. Mit ihr hältst du mehr Schaden aus, sie reduziert also das Tempo, in dem du bei feindlichen Treffern Herzen verlierst. Rüstung kann vielseitig verzaubert werden, hilft dir, in kalten Gegenden zu überleben, und lässt dich unter Wasser sogar länger atmen.

FRÜHE RÜSTUNGEN

Besorge dir, sobald es geht, eine Rüstung. Erlegst du Kühe, lassen sie zum Beispiel Leder fallen, aus dem du Rüstungsteile herstellen kannst. Sie stärken deine Abwehr und haben einzigartige Vorteile, wie den Schutz vor Erfrierungen.

TOP-TIPP

Erleidest du Schaden, nimmt die Haltbarkeit deiner Rüstung ab. Wird sie zerstört, wenn du dich gerade tief in einer Höhle oder im Nether aufhältst, kann es brenzlig werden. Nimm am besten Ersatzteile für den Notfall mit.

BESSERE MATERIALIEN

Je mehr Erfahrung du auf deiner Reise durch die Biome und Dimensionen sammelst, desto mehr Materialien wirst du finden. Nutze sie, um deinen Rüstungswert zu verbessern.

Diamant und Netherit sind schwer zu finden, aber bieten den besten Schutz.

Kaum hast du die ersten Schritte ins Unbekannte gewagt, bist du von den zahlreichen Gefahren der Oberwelt umgeben. Eine gute Vorbereitung ist überlebenswichtig für alle Abenteurer - die beste Vorbereitung besteht darin, dich vor Angriffen zu schützen.

HELM

Helme werden im Kopf-Slot deines Inventarfensters ausgerüstet. Sie gewähren bis zu drei Rüstungspunkte und können für zusätzliche Sicherheit und Fähigkeiten verzaubert werden. Feuerschutz ist besonders nützlich, wenn du den Nether erkundest.

BRUSTPANZER

Der mächtige Brustpanzer gehört in den Oberkörper-Slot und bietet mehr Schutz als alle anderen Rüstungsteile. Versieh ihn mit Verzauberungen, z. B. mit „Schusssicher" – ideal, um überraschende Fernangriffe zu überstehen.

HOSE

Der Unterkörper-Slot ist für die Hose da. Sie bietet nicht ganz so viel Schutz wie der Brustpanzer, aber ihre Haltbarkeit kann mit der gleichnamigen Verzauberung gesteigert werden.

STIEFEL

Stiefel bieten den geringsten Schutz, aber vervollständigen deinen Look und sind alles andere als nutzlos. Die Wasserläufer-Verzauberung erhöht dein Tempo unter Wasser, während dich schlichte Lederstiefel im Pulverschnee vor Frostschaden bewahren.

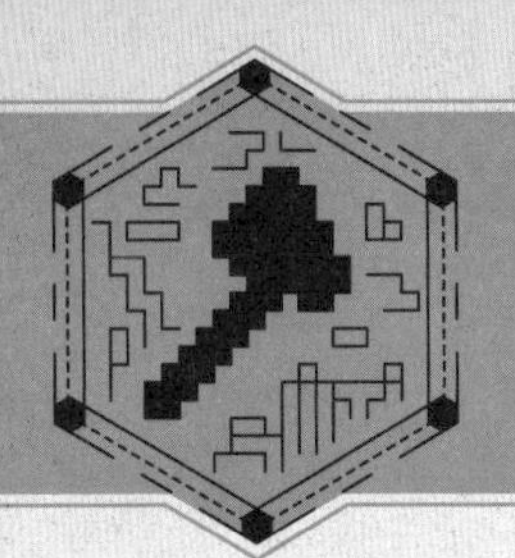

NAHRUNG UND VORRÄTE

NAHRUNG

Fast alles, was du in Minecraft tust, wirkt sich auf deinen Hungerwert aus. Ob du überlebst oder nicht, hängt von vielen Faktoren ab, also bereite dich gut auf deine Abenteuer vor. Erkunde erst einmal oberirdisch, denn dort gibt es meist ausreichend Nahrung zu holen.

ROH		GEBRATEN	
Rohes Rindfleisch	3	Gebratenes Rindfleisch	8
Rohes Schweinefleisch	3	Schweinekotelett	8
Rohes Hühnchen	2	Gebratenes Hühnchen	6
Rohes Hammelfleisch	2	Gebratenes Hammelfleisch	6
Rohes Kaninchen	3	Gebratenes Kaninchen	5

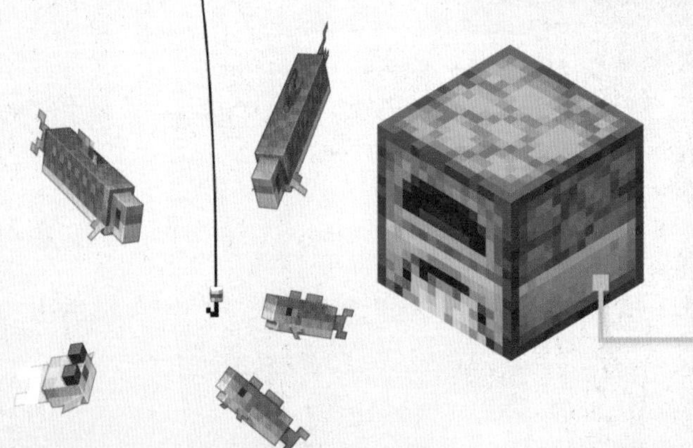

ZUBEREITUNG

Wenn du Tiere erlegst, droppen sie rohes Fleisch oder Fisch (gebraten, wenn sie mit Feuer erlegt wurden). Beides kann gegessen werden, um Hungerpunkte aufzufüllen. Ist es roh, brate es in einem Ofen, um diesen Wert zu maximieren.

ROH		GEBRATEN	
Roher Kabeljau	2	Gebratener Kabeljau	5
Roher Lachs	2	Gebratener Lachs	6
Tropenfisch	1	Kann nicht gebraten werden	

TOP-TIPP

Auch Gemüse kann verzehrt werden, um Hungerpunkte aufzufüllen. Findest du Kartoffeln, Karotten oder rote Bete, sammle sie ein und bewahre sie auf! Viele Feldfrüchte bieten noch andere Nutzungsmöglichkeiten ...

Waffen, Werkzeug und Rüstung sind ohne Zweifel überlebenswichtig, aber du solltest in deinem Inventar immer Platz für Nahrung und Vorräte freihalten. So kannst du unschöne Zwangslagen vermeiden, zum Beispiel mitten in der Wüste oder unter der Erde plötzlich ohne Essen dazustehen.

VORRÄTE

Dein Inventar bietet 4 Rüstungs-Slots, einen Nebenhand-Slot, 27 Aufbewahrungs-Slots und 9 Slots in der Schnellzugriffsleiste, die immer sichtbar ist. Die meisten Gegenstände lassen sich in 64er-Stapeln in einem Slot lagern, also sammle immer so viele wie möglich und sortiere alles gut.

TOP-TIPP

Am besten stellst du gleich nach dem Spawnen die wichtigsten Dinge her. Auf langen Erkundungstouren sorgen sie für mehr Sicherheit.

BOOT

Gewässer zu überqueren, kann dauern und ist obendrein gefährlich. Ein Boot schafft Abhilfe und ist schnell hergestellt.

OFEN

Im Ofen kannst du Nahrung zubereiten, Erze wie Gold und Eisen schmelzen sowie Holzkohle herstellen. Mit Brennstoff funktioniert er überall.

FACKEL

Fackeln sind überlebenswichtig. In ihrem Licht spawnen keine Monster, was beim Bergbau nützlich ist – so kann dir nichts auflauern.

HOLZ

Aus Holz lassen sich Waffen und vieles mehr herstellen, zum Beispiel Fackeln, Boote und Betten. Außerdem dient es als Brennstoff für Öfen.

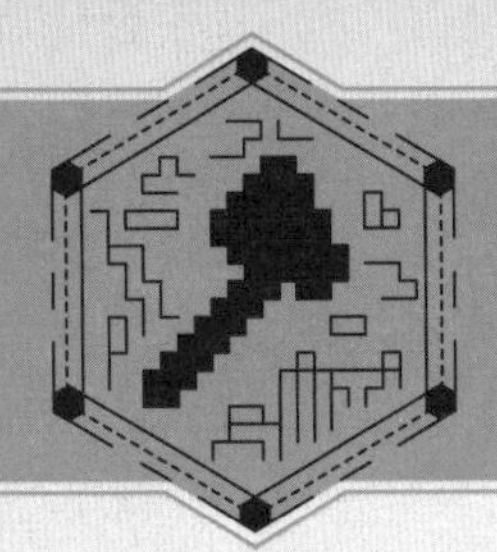

WÄHLE DEINE AUSRÜSTUNG

WAFFEN

TYPEN						
ANGRIFF	5	6	7	5	8	9
HALTBAR-KEIT	60	132	251	33	1562	2032

SCHWERT

Das Schwert bewirkt im Nahkampf den meisten Schaden auf Zeit – besonders nützlich gegen Monster, die nicht mit einem Hieb erledigt werden können. Es besteht aus einem Stock und bis zu sechs unterschiedlichen Materialien, vom schwachen Holz bis zum robusten Netherit.

Eisenschwert-Rezept

TYPEN						
ANGRIFF	4	5	6	4	7	8
HALTBAR-KEIT	60	132	251	33	1562	2032

AXT

Mit der Axt lassen sich alle Holzarten am schnellsten abbauen, zum Beispiel Bretter und Stämme. Wie beim Schwert steigt die Haltbarkeit mit dem Material des Werkzeugs. Äxte geben gute Waffen ab, falls du mal kein Schwert zur Hand hast, allerdings sind sie etwas schwächer.

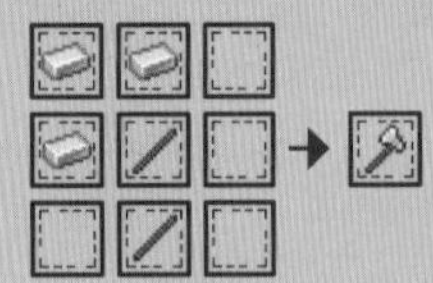

Eisenaxt-Rezept

TYPEN	
ANGRIFF	1-11
HALTBAR-KEIT	384

BOGEN

Die Lieblingswaffe der Skelette! Der Bogen ist eine Fernkampfwaffe und damit ideal gegen Monster, denen du nicht zu nahe kommen willst – zum Beispiel Creeper. Zum Schießen brauchst du Pfeile und etwas Zeit zum Zielen.

Bogen-Rezept

TYPEN	
ANGRIFF	9
HALTBAR-KEIT	464

ARMBRUST

Für eine Armbrust brauchst du mehr Materialien als für alle anderen Waffen. Ihre Geschosse fliegen weiter als mit dem Bogen, aber du brauchst mehr Zeit zum Anlegen. Du kannst mit ihr Feuerwerksraketen abfeuern.

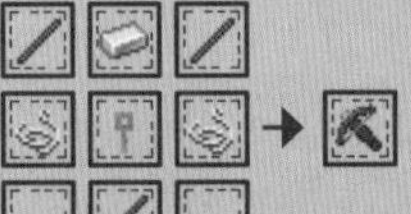

Armbrust-Rezept

TYPEN	
ANGRIFF	8-9
HALTBAR-KEIT	250

DREIZACK

Ein Dreizack ist sowohl im Nah- als auch im Fernkampf sehr stark. Um einen zu ergattern, erledige einen Ertrunkenen, der einen Dreizack trägt. Mit etwas Glück lässt er ihn fallen.

Das Geheimnis eines jeden erfolgreichen Abenteurers ist eine gute Ausstattung. Damit bist du auf jede Situation vorbereitet, ob es sich um den Nahrungsanbau oder das nächste Gefecht handelt. Werfen wir einen Blick auf die grundlegenden Werkzeuge, wie man sie herstellt und einsetzt.

WERKZEUG

TYPEN						
ANGRIFF	3	4	5	3	6	7
HALTBARKEIT	59	131	250	32	1561	2031

HACKE

Hacken wandeln Erd- und Grasblöcke sowie Schotterwege in Ackerland um, das zum Anbau von Nutzpflanzen benötigt wird. Sie sind also essenziell, wenn du Farmen anlegen möchtest. Zudem eignen sie sich zum Ernten vieler Pflanzen.

Hacken-Rezept

TYPEN						
ANGRIFF	3	4	5	3	6	7
HALTBARKEIT	59	131	250	32	1561	2031

SPITZHACKE

Dieses Werkzeug wirst du sehr wahrscheinlich am meisten einsetzen. Die Spitzhacke wird zum Abbau von Erzen, Steinen und metallbasierten Blöcken verwendet. Außerdem ist sie im Notfall eine effektive Nahkampfwaffe, allerdings langsamer als ein Schwert.

Spitzhacken-Rezept

TYPEN						
ANGRIFF	2	3	4	2	5	6
HALTBARKEIT	59	131	250	32	1561	2031

SCHAUFEL

Es wird Situationen geben, in denen du dich durch einen ganzen Haufen Erde buddeln musst, um beispielsweise eine Landschaft zu gestalten. Mit einer Schaufel geht das am schnellsten. Außerdem kannst du mit ihr Schotterwege anlegen, um dich besser zurechtzufinden.

Schaufel-Rezept

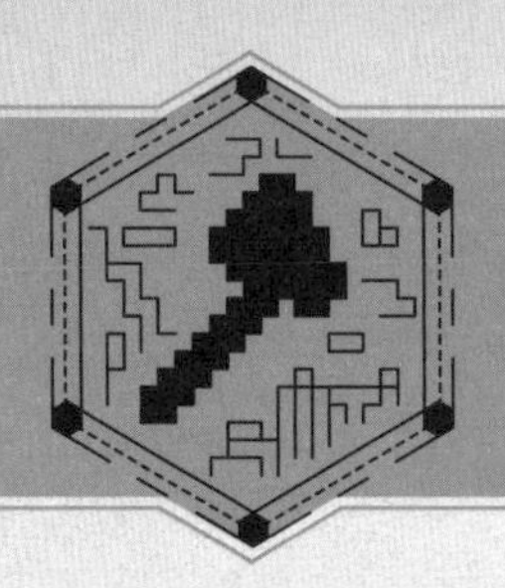

ROUTENPLANUNG

KOMPASS

Es ist ziemlich leicht, sich zu verirren – sogar der Weg zur eigenen Basis ist manchmal schwer wiederzufinden. Zum Glück gibt es den Kompass, der dir den Weg zum Spawnpunkt deiner Welt weist.

LEITSTEIN

Benutzt du einen Kompass mit einem Leitstein, zeigt die Kompassnadel danach nicht mehr zum Welt-Spawn, sondern zum Standort des Leitsteins. Zur Herstellung brauchst du Netherit, was du nur im Nether findest. Nichts für neue Entdecker!

WOHIN GEHEN?

Die Antwort darauf hängt davon ab, was du vorhast. Manche Leute wandern einfach umher, bis sie auf etwas Interessantes stoßen, andere suchen ganz spezielle Orte. Dieses Buch hilft dir, deinen Weg zu finden.

WONACH AUSSCHAU HALTEN?

Das kommt ganz darauf an, was du erleben möchtest. Brauchst du Diamanten für eine neue Rüstung, oder willst du alle Mobs sehen, die es gibt? Du hast die Wahl ...

In Minecraft gibt es so viel zu sehen und zu tun, dass es manchmal schwerfällt, den Anfang zu machen. Es gibt so viele Biome mit Materialien, interessanten Bewohnern und einzigartigen Bauten, die nur darauf warten, erkundet zu werden. Hier erfährst du, wie du sie am besten erreichst.

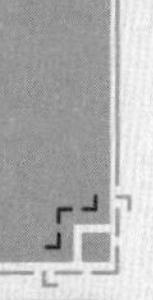

ZU FUSS

Zu Fuß kannst du weite Strecken zurücklegen. Durch Sprinten nimmt dein Hunger übrigens schneller ab, bis du nur noch gehen kannst.

ZU PFERD

Wenn du ein Pferd zähmst und mit einem Sattel ausrüstest, kannst du es reiten – so kommst du schneller voran und kannst höher springen.

PER ESEL

Esel wandern auf Ebenen umher und sind langsamer als Pferde. Dafür können sie eine Truhe tragen. Auch sie brauchen einen Sattel.

MIT MAULTIER

Kreuzt du ein Pferd mit einem Esel, spawnt ein Maultier. Sie sind schneller als Esel, langsamer als Pferde und können Truhen tragen.

PER KAMEL

Kamele sind einzigartig, weil sie 1,5 Blöcke überqueren können (mehr als jedes andere Reittier). Sie können über Schluchten hinwegrennen und zwei Leute tragen.

TOP-TIPP

Pferde, Esel und Maultiere (und Schweine!) können mit einer Leine hinter einem Boot hergezogen werden. Du kannst sie also übers Wasser mitnehmen!

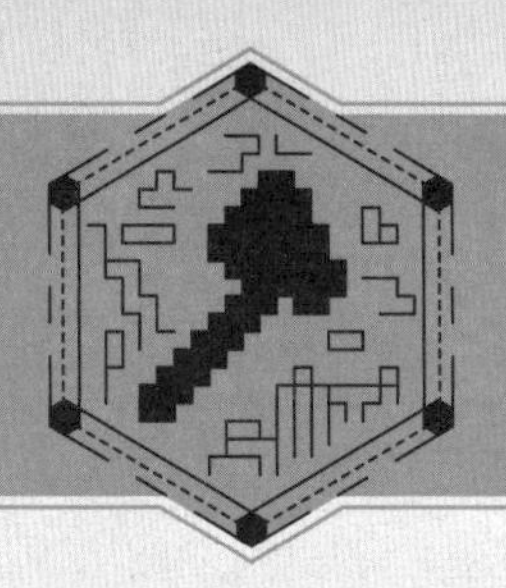

KARTEN-ERSTELLUNG

WIE ERSTELLE ICH EINE KARTE?

Eine Karte wird aus 8 Papier gemacht (herstellbar aus Zuckerrohr). Setzt du in die Mitte einen Kompass (besteht aus Eisenbarren und Redstone), kannst du zudem Standorte markieren. Diese Funktion kann auch später an einem Amboss, einer Werkbank oder einem Kartentisch ergänzt werden.

KARTENTISCH

Kartentische spawnen in den Häusern von Kartografen. Mit ihnen kann aus einem einzigen Stück Papier eine leere Karte hergestellt werden. Außerdem ermöglichen sie das Heran- und Herauszoomen, um größere Aufzeichnungen deiner Welt anzufertigen und damit Strukturen wie zum Beispiel Schiffswracks ausfindig zu machen.

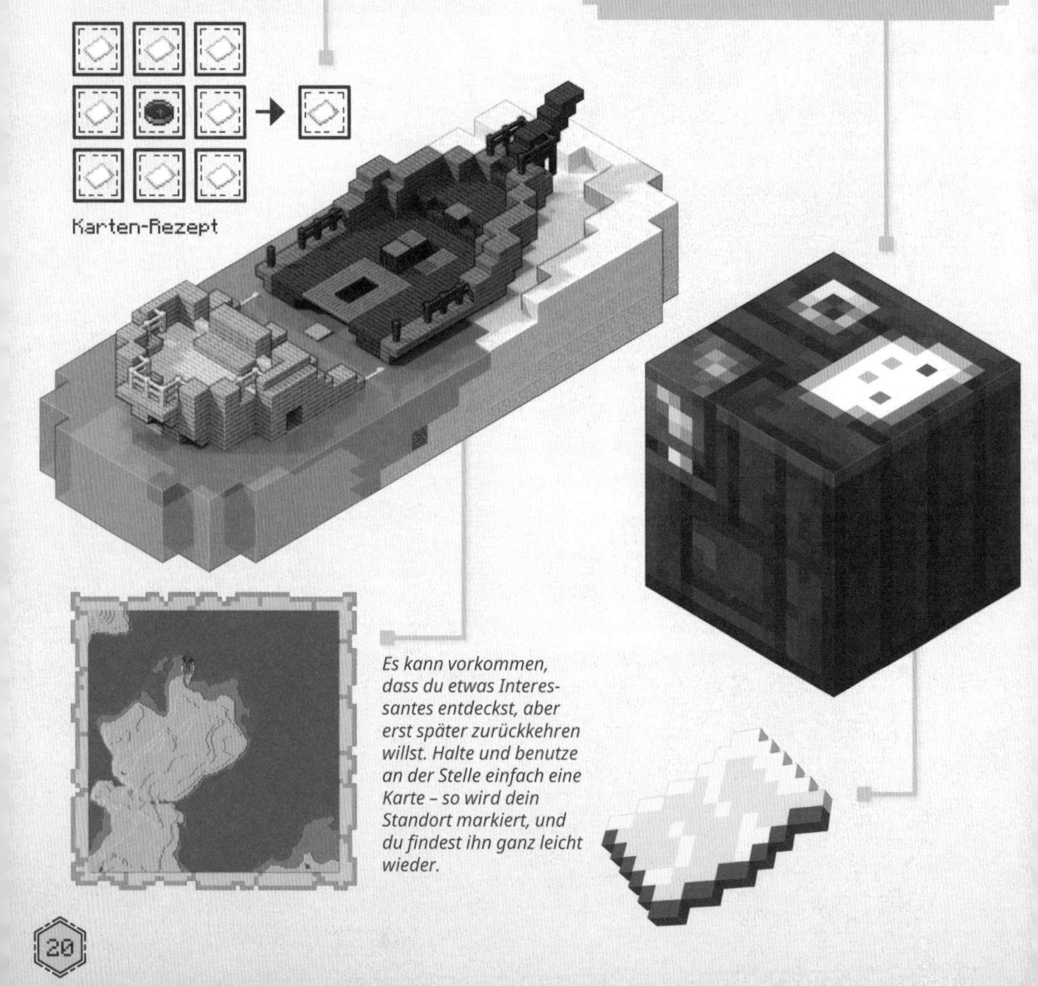

Karten-Rezept

Es kann vorkommen, dass du etwas Interessantes entdeckst, aber erst später zurückkehren willst. Halte und benutze an der Stelle einfach eine Karte – so wird dein Standort markiert, und du findest ihn ganz leicht wieder.

Es gibt so viel zu sehen, dass du dir nie alles merken kannst. All die Orte und Sehenswürdigkeiten, die du besucht hast, und die Ressourcen, für die du keinen Platz mehr hattest, aber zu denen du unbedingt irgendwann zurückwolltest … Karten helfen deinem Gedächtnis auf die Sprünge.

KARTENBENUTZUNG

Hältst du eine Karte in der Hand, zeichnet sie die Umgebung aus der Vogelperspektive auf, wo immer du hingehst. Du kannst deine Position sehen und interessante Orte markieren – zum Beispiel Plünderer-Außenposten – um später dorthin zurückzukehren.

ORIENTIERUNG IM NETHER

Es ist möglich, im Nether Karten zu nutzen, aber deutlich weniger effizient. Die Umgebung wird hier nicht verzeichnet, und deine Standortmarkierung dreht sich, was das Navigieren erschwert. Trotzdem können sie nützlich sein, um Wegpunkte wiederzufinden.

MOBS UND MEHR

KARTOGRAF-DORFBEWOHNER

Bis auf den Nichtsnutz suchen sich Dorfbewohner einen Beruf. Der Kartograf tauscht zuerst Smaragde gegen normale Karten, später gegen Ozean-, Wald- oder Forscherkarten. Sie kommen in allen Dörfern vor.

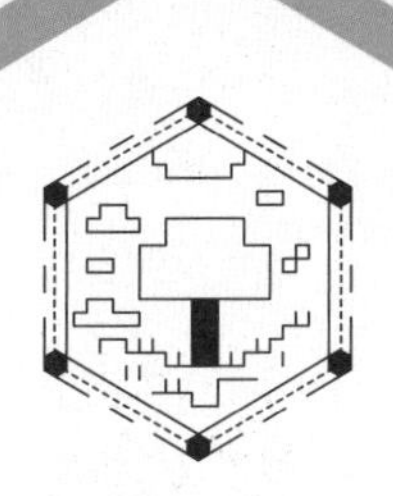

GEMÄSSIGTE LANDSCHAFTEN

Es kann losgehen! Deine Erkundungsreise beginnt, und die folgenden Biome eignen sich für Anfänger am besten. Dank dem dort vorherrschenden milden Klima musst du dich weder um Eiseskälte noch brütende Hitze sorgen und hast trotzdem massig Spaß. Dennoch gilt es bei aller Entdeckerlust, Vorsicht zu wahren.

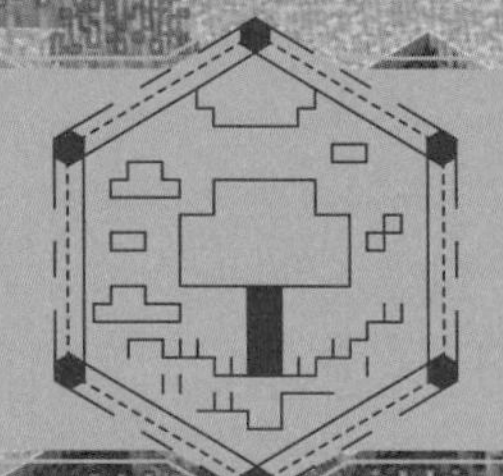

BIOME:
DIE EBENE

FLACHLAND

Die Ebene ist grasbewachsen und weitgehend flach. Hier und dort wachsen Blumen und vereinzelte Bäume, meist in der Nähe von Wasser. Deshalb eignet sich dieses Biom besonders für neue Entdecker, die sich noch orientieren und viel lernen müssen.

GUTE AUSSICHTEN

Weil die Ebene an der Oberfläche so wunderbar flach ist, lassen sich Höhlenöffnungen umso besser erkennen. Sie können zu weitläufigen unterirdischen Höhlennetzwerken führen, die nur darauf warten, erkundet zu werden. Aber rüste dich gut aus, bevor du abtauchst.

Als eins der gängigsten Biome der Oberwelt sind die meisten Entdecker bestens mit der Ebene vertraut. Das Grasland ist oft flach und bietet eine gute Aussicht auf das umliegende Gelände. Daher errichten viele Abenteurer hier ihre Basis. Auf jeden Fall gibt es viel zu entdecken!

SONNENBLUMEN-EBENE

Diese seltenere Variation der Ebene ist nach ihren Bewohnerinnen benannt, den Sonnenblumen, die nur hier wachsen. Die großen Blumen mit den goldgelben Blütenblättern vermitteln selbst im schlimmsten Regenguss ein sommerliches Gefühl.

TOP-TIPP

Sonnenblumen sind nicht nur fröhliche Farbtupfer in der Oberwelt, sondern können zum besten Freund eines Abenteurers werden! Falls du dich einmal verirrst und den Kompass vergessen hast, betrachte einfach eine Sonnenblume – ihre Blüte zeigt immer nach Osten

EINE BASIS ERRICHTEN

Ebenen sind ein guter Ort für eine Basis. Sie grenzen oft an Wälder, sodass es dir nie an Holz mangelt, und sind die Heimat zahlreicher passiver Mobs, die dir Nahrung liefern. Vom verrotteten Fleisch eines Zombies lass lieber die Finger!

MOBS UND MEHR

ZOMBIE

Zombies werden dir in fast allen Biomen begegnen, aber auf Ebenen sieht man sie am häufigsten – jedenfalls nachts. Oft hört man ihr Gestöhne, noch bevor man sie entdeckt, und wenn sie dich einmal erreicht haben, bewirken ihre Angriffe großen Schaden – besonders, wenn sie in Horden auftauchen.

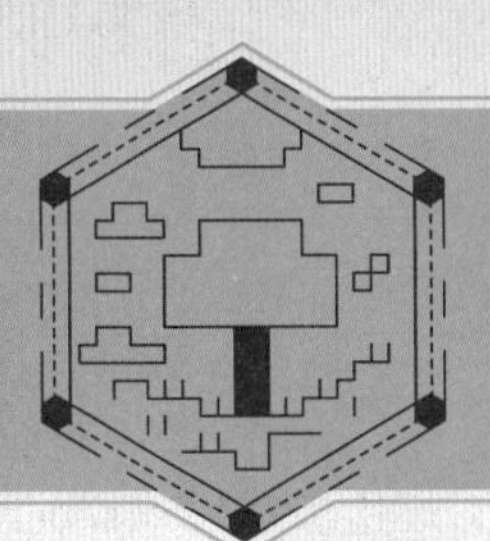

GENERIERTE BAUTEN: DÖRFER

GEBÄUDE

Angeordnet um einen zentralen Treffpunkt, bestehen Dörfer aus Gebäuden, die innerhalb der Dorfgemeinschaft unterschiedliche Funktionen haben. Kleinere Häuser enthalten Betten und Truhen, andere beherbergen Arbeitsblöcke, zum Beispiel für Schlachter und Rüstungsschmied.

DORFBEWOHNER

Diese passiven Kreaturen findest du in und um Dörfer, wo sie emsig ihrem Tagesgeschäft nachgehen. Sie haben Berufe, interagieren miteinander und können mit dir handeln. Behandle sie gut, denn sie geben ihre Erfahrungen an ihre Nachbarn weiter.

HANDEL

Bei Dorfbewohnern kannst du Gegenstände erwerben und verkaufen – aber nur bei denen, die einen Beruf haben. Als Hauptwährung dienen Smaragde; manchmal brauchst du auch andere Gegenstände. Geh zu einem Dorfbewohner, interagiere mit ihm und wirf einen Blick in sein Inventar. Vielleicht findest du etwas Nützliches.

Nichts geht über den Moment, wenn man zum ersten Mal ein Dorf erblickt. Vielleicht bist du gerade auf Erkundungstour mitten in der Wildnis, und ganz plötzlich tauchen wie aus dem Nichts Häuser auf. Wenn du die Siedlung betrittst, wirst du mehr finden als nur einen sicheren Ort für müde Wanderer ...

GUTE NACHT

Wenn du einen sicheren Ort zum Übernachten brauchst, ist ein Dorf die beste Adresse. Du kannst in jedem Bett schlafen, das nicht gerade besetzt ist, und manche Häuser haben sogar Truhen mit Gegenständen, die du vielleicht gebrauchen kannst.

RAUBZÜGE

Betrittst du ein Dorf mit „Böses Omen"-Effekt, löst du damit einen Raubzug aus. Wenn es dir gelingt, das Dorf zu verteidigen und alle Angriffswellen abzuwehren, erhältst du den Titel „Dorfheld" – was die Handelspreise der Bewohner verringert.

MOBS UND MEHR

EISENGOLEM

Diese starken Riesen verteidigen die Dorfbewohner. Sie patrouillieren durch die Siedlung und greifen alles und jeden an, der Ärger macht – also eventuell auch dich! Sie schleudern ihre Opfer hoch in die Luft. Aus 4 Eisenblöcken und einem geschnitzten Kürbis kannst du deinen eigenen erschaffen, der dich nicht angreift.

VERLASSENE DÖRFER

Diese Geisterstädte werden auch als Zombiedörfer bezeichnet und bestehen aus verfallenen Häusern voller Spinnweben. Wenn du auf eins stößt, sei vorsichtig – hier hausen nämlich Zombie-Dorfbewohner.

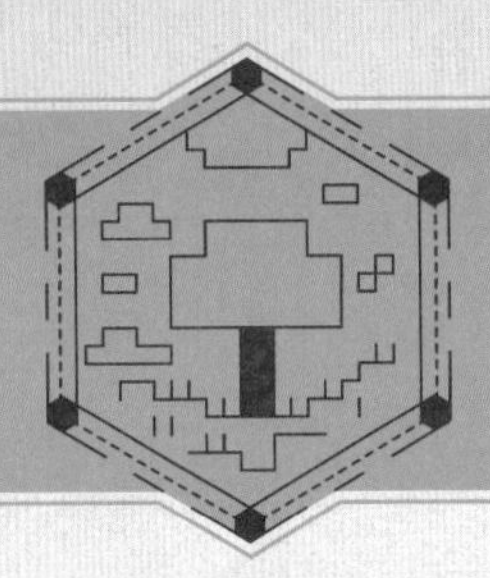

BIOME: WÄLDER

BLUMENWALD

In Blumenwäldern wachsen weniger Bäume als in normalen Wäldern und lassen so Platz für Ansammlungen zahlreicher wunderschöner Blumen. Daher sind sie der ideale Ort, um Farbstoffe zu finden, mit denen du dekorieren oder Gegenstände und sogar Schafe einfärben kannst.

WALD

BIRKENWALD

Aufgrund der weißen Färbung der Stämme wirken Birkenwälder heller als andere Wälder. Die Urwald-Variation beherbergt zudem Bäume, die bis zu 14 Blöcke hoch werden können – und dir damit noch mehr Holz bieten.

DICHTER WALD

Die Bäume in dichten Wäldern blockieren das Sonnenlicht und schaffen so eine dunklere Umgebung, in der Monster spawnen können. Riesenpilze durchbrechen als grelle Farbtupfer das grüne Laubdach – sie sind selten und kommen nur in wenigen Biomen vor.

Wer eine neue Welt startet, spawnt meist in einem Wald. Diese Biome sind sich sehr ähnlich, sodass du es manchmal gar nicht merkst, wenn du vom einen in den nächsten wechselst. Lerne die feinen Unterschiede zu erkennen, um ihre Ressourcen nutzen und lauernde Gefahren einschätzen zu können.

GEFAHREN

Falls du neu in der Oberwelt bist, eignen sich Wälder als guter Übungsplatz, weil dort nicht so viele Gefahren lauern. Das heißt aber nicht, dass sie harmlos sind. Monster können überall im Schatten der Bäume lauern.

RESSOURCEN

Die vielen Bäume bescheren dir massig Holz für alles, was du herstellen möchtest. Vielleicht hast du sogar Glück und findest im Eichenlaub ein paar Äpfel und andere schöne Dinge wie Blumen, Bienen und passive Kreaturen, die zwischen den Bäumen grasen.

HOFFNUNGSLOS VERIRRT

Es ist nicht schwer, sich beim Durchstreifen der Wälder zu verirren. Wenn die Orientierung einmal verloren geht, findet man sie inmitten all der Bäume nicht so leicht wieder. Behalte für solche Fälle im Hinterkopf, dass die Sonne im Osten auf- und im Westen untergeht. Und finde schnell einen Unterschlupf, wenn sie sich dem Horizont nähert!

MOBS UND MEHR

WOLF

Wölfe kommen in Wäldern häufig vor. Füttere sie mit Knochen, um sie zu zähmen. Danach folgen sie dir und du kannst mit ihnen Welpen züchten, wenn du willst. Wölfe sind loyal und beschützen dich, indem sie Skelette aller Art angreifen.

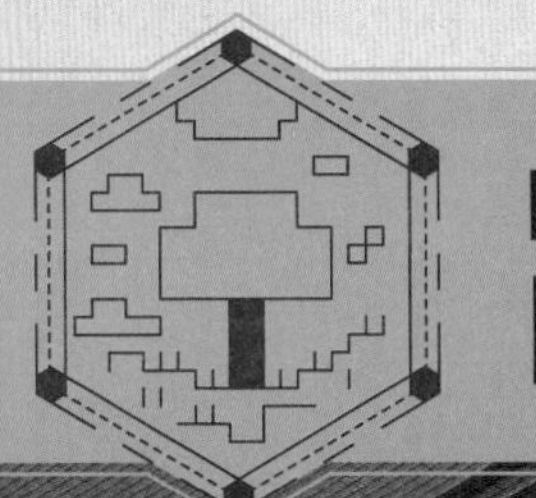

GENERIERTE BAUTEN: DAS WALDANWESEN

STANDORT

Trotz ihrer enormen Größe sind Waldanwesen extrem schwer zu finden. Und selbst wenn du das Glück hast, eines aus der Ferne zu entdecken, musst du oft Schluchten überqueren und dich durchs Dickicht schlagen, um es zu erreichen.

MONSTER

Nur die mutigsten Abenteurer sollten ein Waldanwesen betreten, denn dort hausen Magier und Diener, die Eindringlinge verabscheuen. Die Korridore sind wie ein Irrgarten und nur spärlich beleuchtet, sodass überall Monster lauern können.

ÄUSSERES

Waldanwesen sollen mit ihrer Umgebung im dichten Wald verschmelzen und bestehen aus Schwarzeichenholz und Bruchstein. Sie haben ganze drei Stockwerke; trotzdem reicht das flache Dach oft kaum über die Baumkronen hinaus.

TOP-TIPP

Keine Angst vor Räumen mit gigantischen Köpfen von Illagern und Hühnern – das sind nur Statuen, die dir nichts anhaben können!

Nur die hartnäckigsten Abenteurer spüren Waldanwesen auf, denn diese Gebäude sind oft Tausende Blöcke von deinem Spawnpunkt entfernt und damit schwer auffindbar. Außerdem kommen sie nur in dichten Wäldern vor, wo das Überleben schwieriger wird, je weiter du vordringst.

ENTDECKER-TIPPS

FARMRAUM

Jedes Waldanwesen ist anders, aber sie alle enthalten Farmräume. Ob du nun Weizen- oder Pilzräume entdeckst – alle bieten nützliche Zutaten, um deinen Nahrungsvorrat aufzustocken.

KERKER

Halte Ausschau nach Kerkerzellen. Ihre Geschichte ist mysteriös, aber drinnen halten sich oft Diener auf, manchmal auch Hilfsgeister – gib ihnen irgendeinen Gegenstand, damit sie dir fortan folgen.

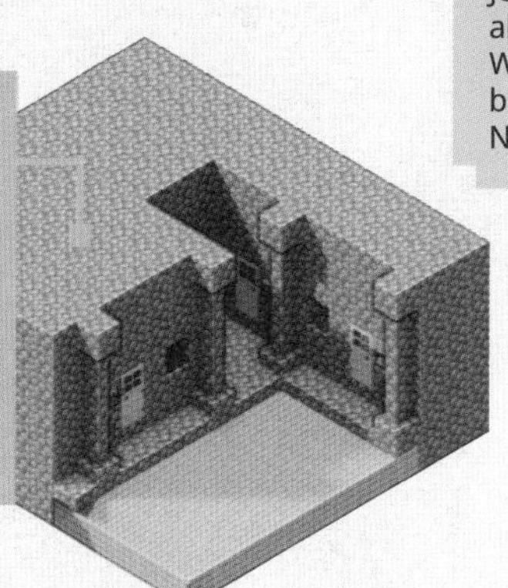

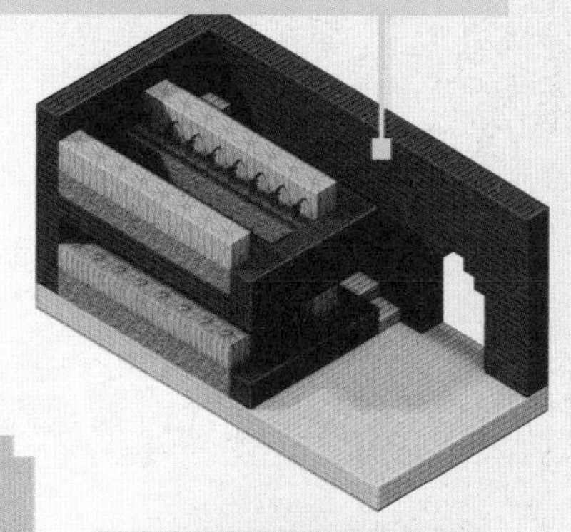

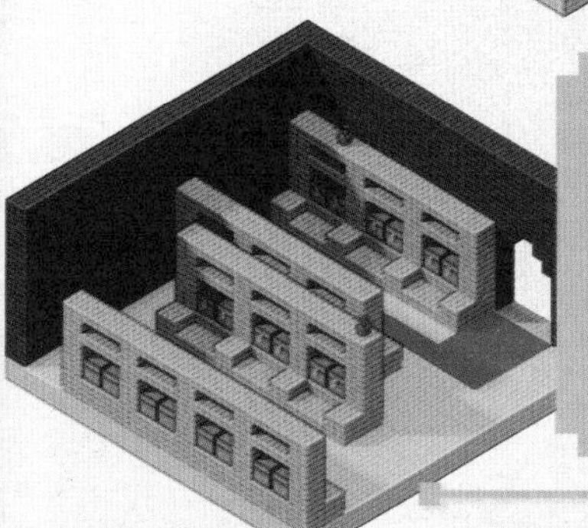

LAGERRAUM

Ein Raum voller Truhen? Die beste Beute beim Erobern eines Waldanwesens. Allerdings werden diese Räume von Dienern bewacht, also sei vorsichtig!

MOBS UND MEHR

MAGIER

Magier sind Monster, die Zauber wirken können – aber dieser Magie gehst du besser aus dem Weg. Sie beschwören Plagegeister und Reißzahnfallen, die aus dem Boden schießen und heftigen Schaden bewirken.

GEHEIMRAUM

In manchen Waldanwesen gibt es Geheimräume, in denen du Endportal-Attrappen, Obsidiangebilde und andere seltsame Dinge vorfindest. Mysteriös!

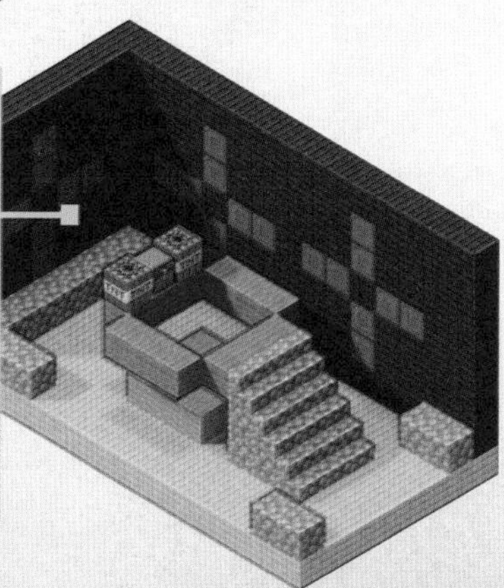

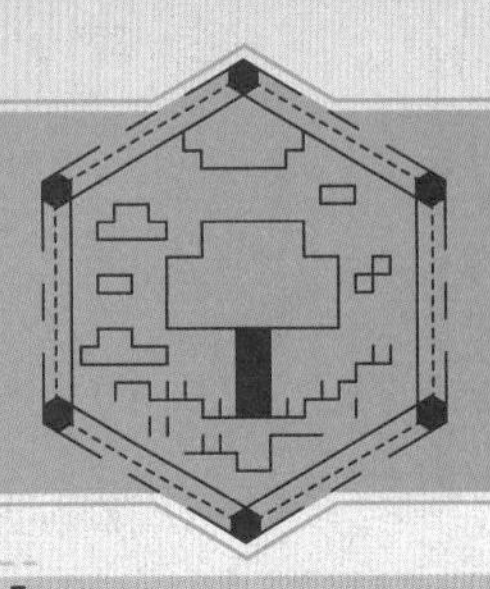

BIOME: DSCHUNGEL

Dschungel sind eine Augenweide für mutige Abenteurer. Sie bestehen aus hohen Bäumen mit dicken Stämmen und sind ein wahrer Irrgarten, dessen Dickicht die Flucht vor Monstern erschwert.

DSCHUNGEL

Dschungel sind unverkennbar. Die hier beheimateten Bäume sind die höchsten in der Oberwelt, und das unebene Terrain kann wie ein undurchdringliches Labyrinth erscheinen.

LICHTER DSCHUNGEL

Mit seinen kleineren Bäumen und mehr offener Fläche zum Bauen und Farmen ist der lichte Dschungel ein sehr viel geeigneterer Ort für eine Basis.

MOBS UND MEHR

PAPAGEI

Diese seltenen Vögel kommen nur in Dschungeln vor und haben besondere Talente: Sie können die Geräusche von Monstern innerhalb von 20 Blöcken imitieren und auf deiner Schulter Platz nehmen!

BAMBUSDSCHUNGEL

Hier könntest du auf Pandas stoßen, die vom Bambus naschen. Das Klima ist feuchter als in anderen Dschungeln, wodurch tief unter der Erde eher üppige Höhlen spawnen.

ENTZÜCKEND!

In Dschungeln gibt es viele freundliche Kreaturen: Pandas, Papageien und Ozelote spawnen nur hier und haben unterschiedliche Eigenschaften. Ein zahmer Ozelot kann an einer Leine geführt werden und hält dir Creeper vom Leib.

GENERIERTE BAUTEN: DSCHUNGELTEMPEL

Inmitten all der wuchernden Pflanzen sind Dschungeltempel extrem schwer aufzuspüren. Ihre bemoosten Bruchsteinmauern verschmelzen mit der Landschaft, aber die größten Geheimnisse erwarten dich im Untergeschoss ...

FALLEN

Hier ist es gefährlich, selbst wenn du alle Monster erledigt hast. Nimm dich vor Stolperdrahtfallen in Acht, die Pfeilwerfer auslösen.

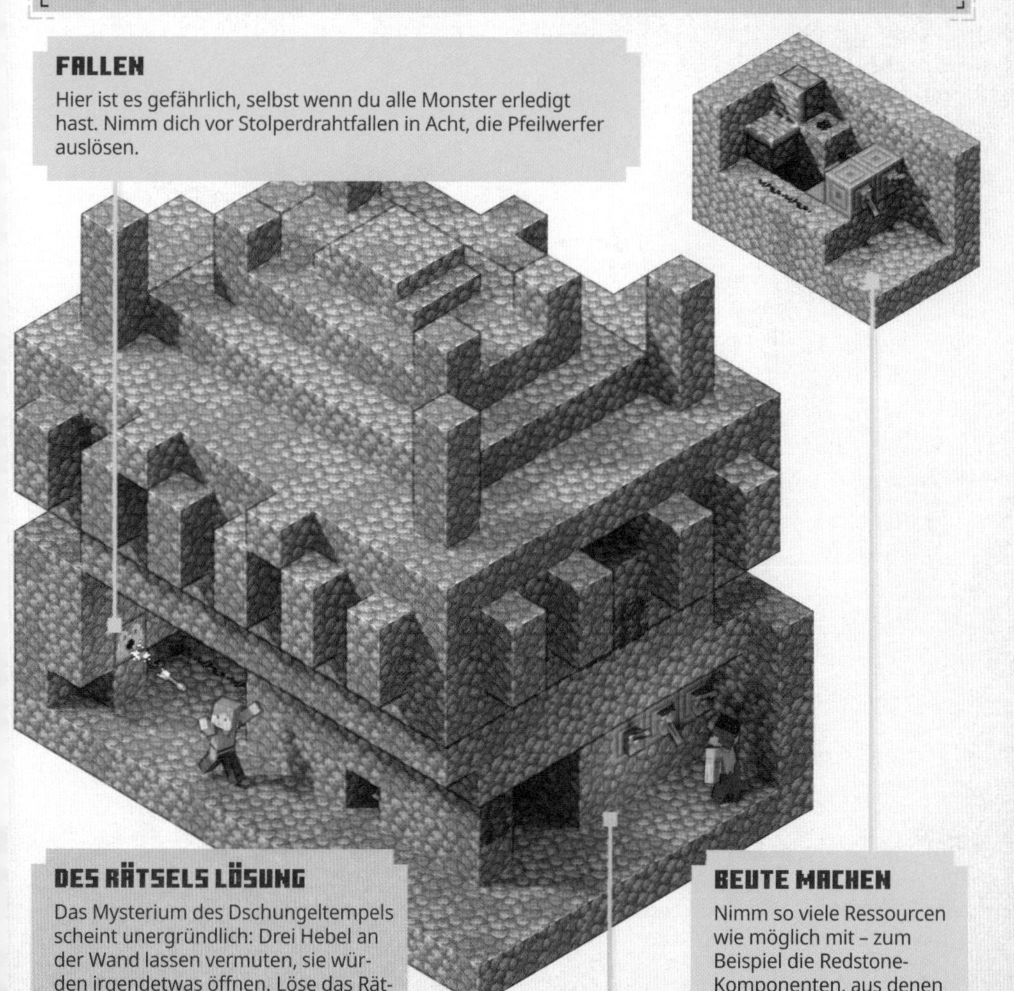

DES RÄTSELS LÖSUNG

Das Mysterium des Dschungeltempels scheint unergründlich: Drei Hebel an der Wand lassen vermuten, sie würden irgendetwas öffnen. Löse das Rätsel, um Zutritt zu einem Geheimraum zu erhalten.

BEUTE MACHEN

Nimm so viele Ressourcen wie möglich mit – zum Beispiel die Redstone-Komponenten, aus denen die Falle besteht!

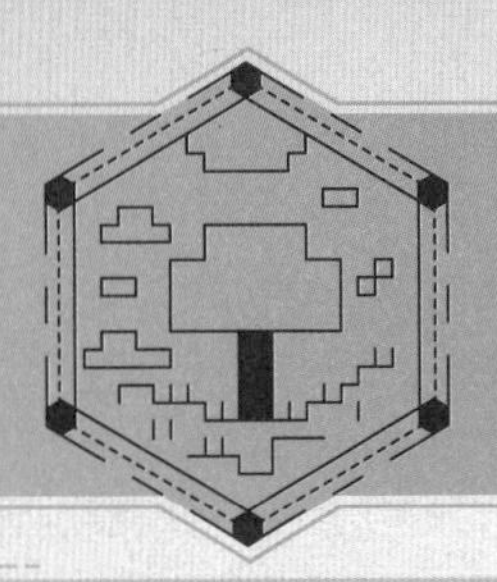

BIOME: KIRSCHBERGHAIN

Dieses Biom mag dir nur selten unterkommen, aber wenn du eins gefunden hast, ist es unverwechselbar. Es ist nach den markanten Bäumen benannt, die in schönen Farben erstrahlen und deren Blüten das umliegende Grasland bedecken.

KIRSCHBÄUME

Was in diesen Biomen am meisten ins Auge sticht, sind die blassrosafarbenen Blätter der Kirschbäume, die nur hier natürlich vorkommen. Sammle Setzlinge ein, um dich auch andernorts an diesen hübschen Bäumen zu erfreuen!

BESONDERES HOLZ

Fälle Kirschholz, um es als Souvenir mitzunehmen. Dank seinem einzigartigen Aussehen eignet es sich für außergewöhnliche Bauten und Accessoires, wie zum Beispiel ein wunderschönes rosafarbenes Hängeschild.

MOBS UND MEHR

BIENEN

Diese honigsüßen Kreaturen wohnen in Bienennestern und surren den ganzen Tag auf der Suche nach Blumen durch die Gegend. Verärgere sie nicht, sonst stürzen sich alle Bienen in der Nähe auf dich!

BIOME:
SÜMPFE

Zwischen den rankenüberwucherten Eichen und toten Büschen eines Sumpfs liegen zahlreiche flache Tümpel. Lausche dem Quaken von Fröschen und bewundere ihr unglaubliches Sprungtalent.

SUMPF

SUMPFHÜTTE

Diese simplen Holzbauten beherbergen ein finsteres Geheimnis – das Keckern einer Hexe sollte als Warnung ausreichen. Gelingt es dir, sie zu besiegen, durchstöbere ihr Haus – vielleicht findest du im Kessel einen Trank.

MOBS UND MEHR

SCHLEIM

Schleime spawnen öfter bei Vollmond – du erkennst sie am schmatzenden Hüpfgeräusch. Wende dich nach einem Kampf nicht vorschnell ab – große Schleime teilen sich in kleinere auf!

TOP-TIPP

Bei der Erkundung wärmerer Biome wirst du früher oder später auf einen Mangrovensumpf stoßen. Dort gibt es keine Sumpfhütten – bevor du vergebens nach einer suchst.

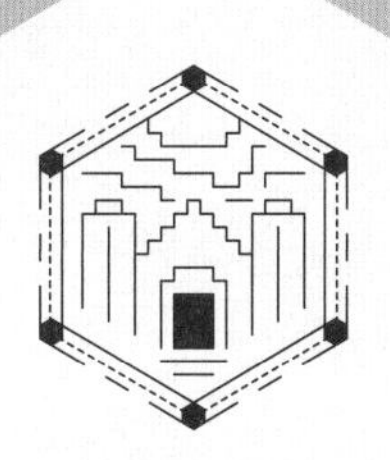

HEISSE LANDSCHAFTEN

Obwohl manche heiße Biome nur wenig Ressourcen und eine kleinere Überlebenschance bieten, lohnt es sich, sie gut ausgerüstet zu erkunden. Trotz der Widrigkeiten, die das trockene Land mit sich bringt, besitzt es eine einzigartige Schönheit und bietet verborgene Schätze, die nur darauf warten, von eifrigen Abenteurern entdeckt zu werden.

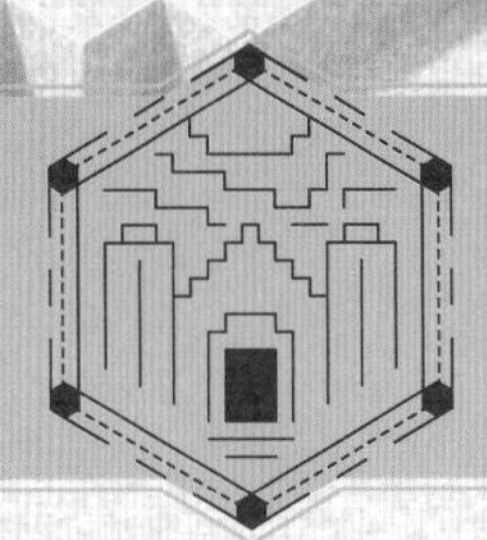

BIOME: WÜSTEN

AM HORIZONT

Dank der sandigen Oberfläche und meist flachen Landschaft bieten Wüsten einen guten Ausblick. Manchmal entsteht dadurch der Eindruck, in absoluter Leere zu stehen – mit dem Vorteil, Monster zu entdecken, ehe sie dich sehen.

GEBÄUDE

Weil ihre Mauern meist aus Sandstein bestehen, fügen sich in Wüsten generierte Bauwerke perfekt in die sandige Umgebung ein. Dazu gehören Wüstendörfer, Wüstenpyramiden und die selteneren Plünderer-Außenposten.

Dieses außergewöhnliche Biom mag aussehen, als hätte es nicht viel zu bieten, aber unter der sandigen Oberfläche verbergen sich große Schätze. Von seltsamen Sandblöcken über gefährliche Bauwerke bis hin zu einem einzigartigen Monster, das nirgendwo sonst vorkommt ... Auf in die Wüste!

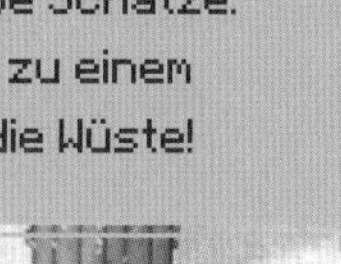

ÜBERLEBEN

Im kargen Land fallen Bedrohungen zwar schnell auf, aber es kann auch gefährlich werden. Es bietet kaum Ressourcen, was das Überleben erschwert. Wenn du eine Reise in die Wüste planst, nimm reichlich Nahrung und Holz mit.

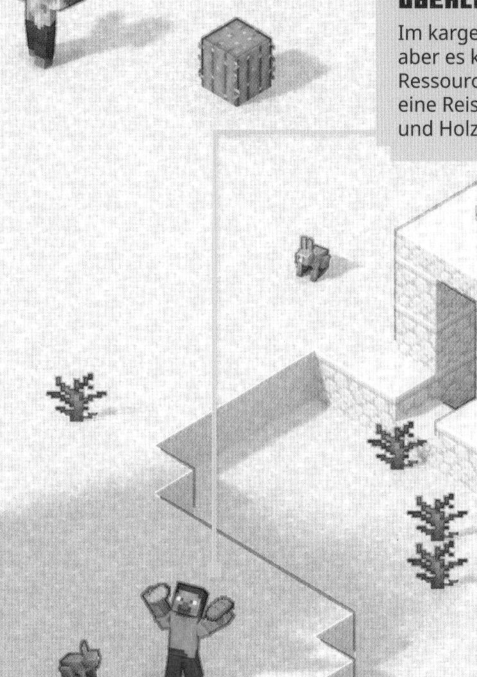

MOBS UND MEHR

WÜSTEN-ZOMBIE

In und um Wüstenpyramiden treiben sich oft Wüstenzombies herum. Diese Zombievariante spawnt nur in Wüsten und sieht dich auf eine Entfernung von 40 Blöcken. Sei vorsichtig – ihre Attacke löst den tückischen Hunger-Effekt aus.

VERBORGENE RELIKTE

Wer Lust hat, ein wenig tiefer zu graben, kann in einer Wüste zum waschechten Archäologen werden! Halte Ausschau nach verdächtigem Sand oder Kies, schnapp dir einen Pinsel und durchsuche die Blöcke nach antiken Töpferscherben.

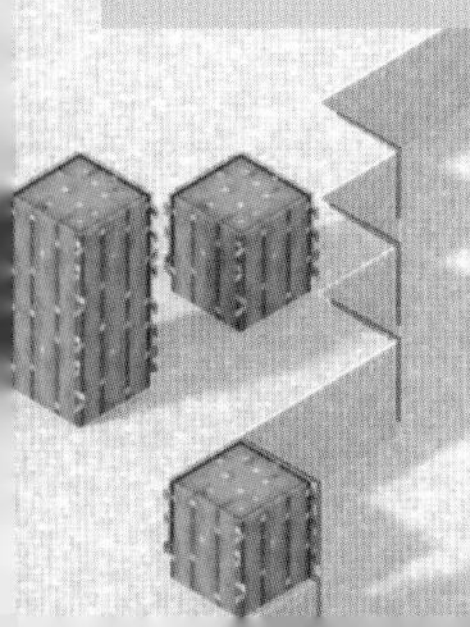

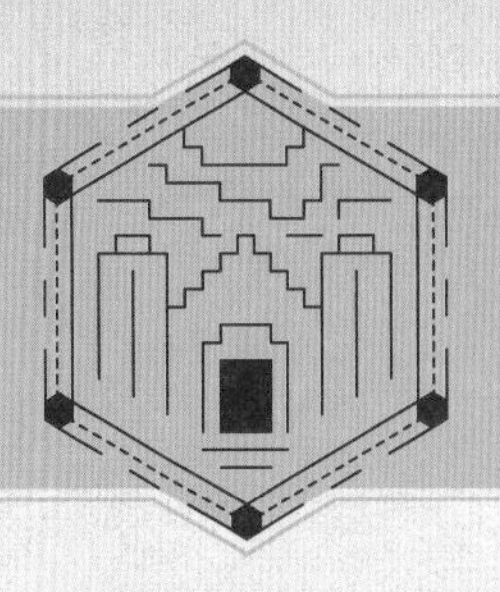

GENERIERTE BAUTEN: WÜSTENPYRAMIDE

SANDBURGEN

Wer nachts in der Wüste unterwegs ist, kann eine Wüstenpyramide leicht übersehen. Ihre Sandsteintürme verschmelzen mit der Umgebung – halte Ausschau nach den orangefarbenen Keramikverzierungen.

ORANGE KERAMIK

VORSICHT GEBOTEN

Halte Augen und Ohren offen, wenn du eintrittst. Im Innern verbergen sich Monster, die Schutz vor der Sonne suchen.

MOBS UND MEHR

SPINNE

Spinnen sind die einzigen Monster, die Wände erklimmen können – ein erschreckendes Talent. Sie greifen aus dem Sprung an und beißen dich. Zum Glück sind sie nur bei Dunkelheit aggressiv.

TOP-TIPP

Verschwende keine Zeit damit, verdächtigen Sand abzubauen – er zerbricht nur. Seinen wertvollen Inhalt gibt er nur dann preis, wenn du ihn mit einem Pinsel bearbeitest.

Je mehr Zeit du in einer Wüste verbringst, desto wahrscheinlicher wirst du auf eine Wüstenpyramide stoßen. Diese großartigen Bauwerke mögen den Eindruck eines idealen Sonnenschutzes erwecken, aber drinnen lauern explosive Überraschungen ...

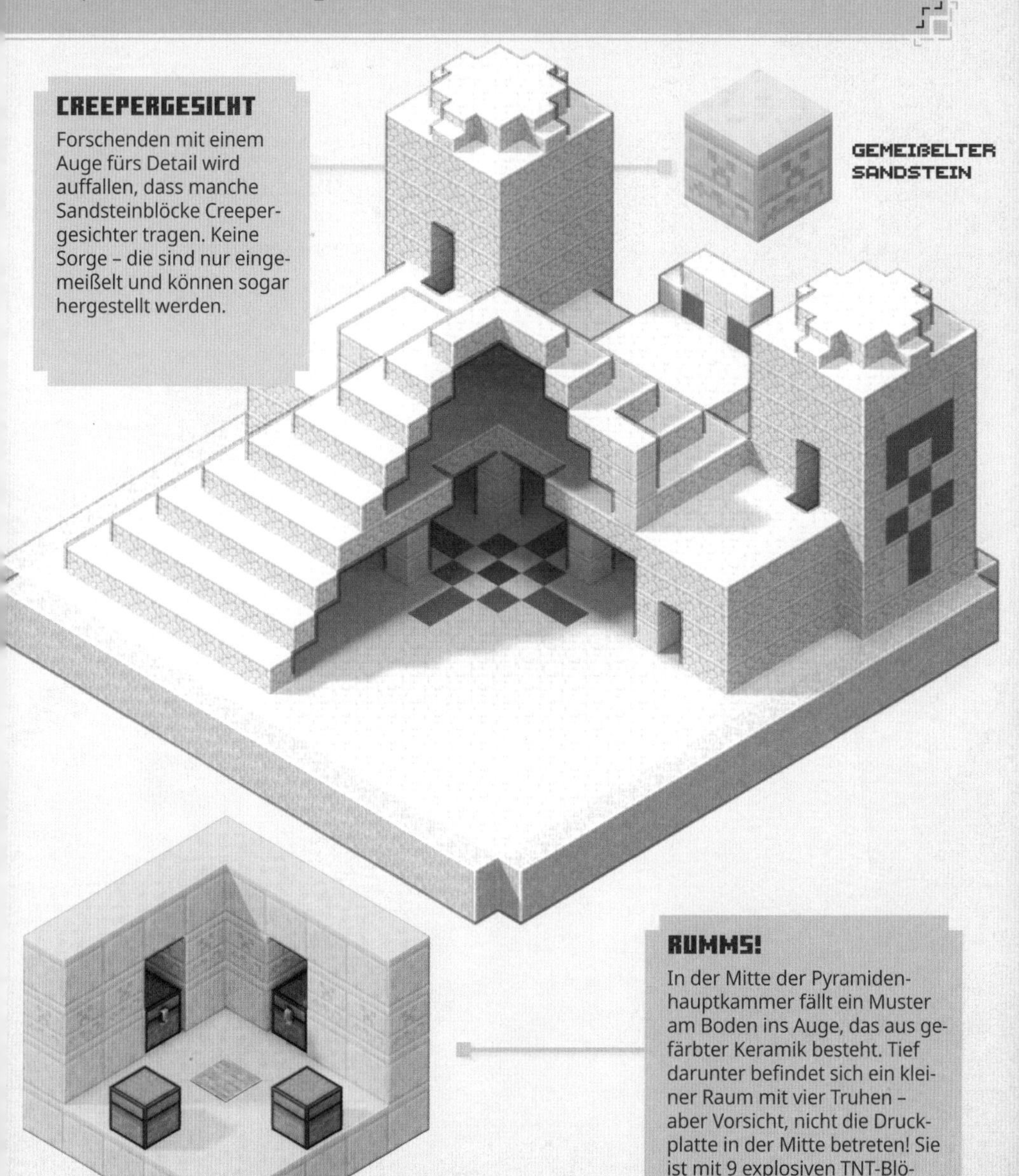

CREEPERGESICHT

Forschenden mit einem Auge fürs Detail wird auffallen, dass manche Sandsteinblöcke Creepergesichter tragen. Keine Sorge – die sind nur eingemeißelt und können sogar hergestellt werden.

RUMMS!

In der Mitte der Pyramidenhauptkammer fällt ein Muster am Boden ins Auge, das aus gefärbter Keramik besteht. Tief darunter befindet sich ein kleiner Raum mit vier Truhen – aber Vorsicht, nicht die Druckplatte in der Mitte betreten! Sie ist mit 9 explosiven TNT-Blöcken verbunden.

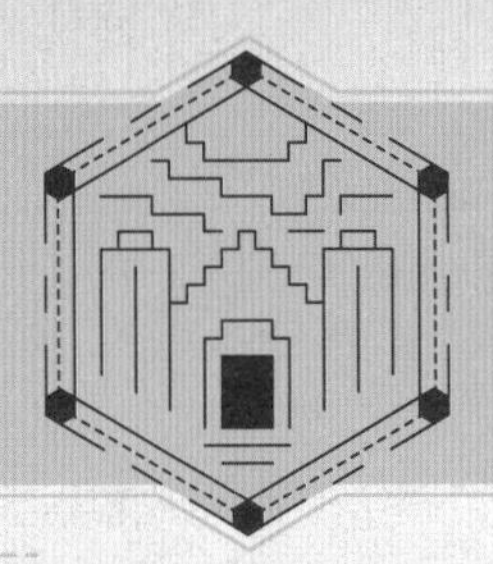

BIOME: SAVANNEN

Es gibt drei Savannenarten, allesamt warm und meist in der Nähe von Wüsten zu finden. Sie besitzen ähnliche Eigenschaften, sehen aber unterschiedlich aus und laden alle zum Erkunden ein.

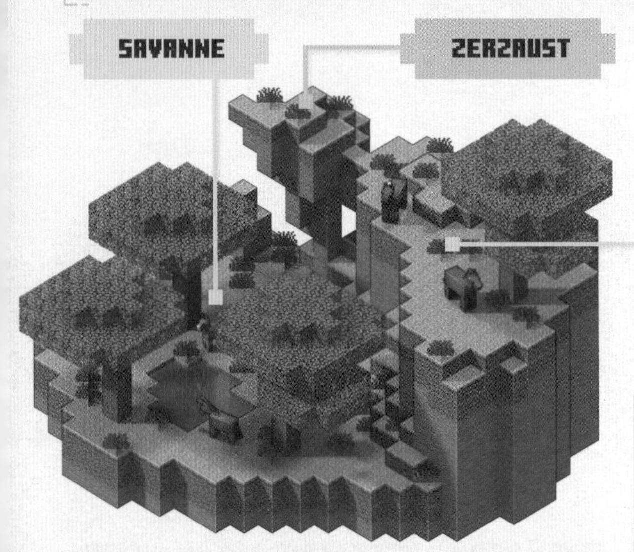

HOCHEBENE

Wird eine Savanne in der Nähe von erhöhtem Gelände wie z. B. Bergen generiert, kann sie zur Hochebene werden. Diese ist mit der normalen Savanne identisch, aber höher gelegen und geht manchmal direkt in andere Hügellandschaften über.

SAVANNE

Die Savanne ist ein meist flaches Biom, überwuchert mit hohem Gras und verstreuten Akazien und Eichen. Es ist das einzige Biom, in dem sowohl Pferde als auch Lamas spawnen. Nutze Pferde zum schnelleren Erkunden und Lamas für den Transport von Gegenständen.

MOBS UND MEHR

LAMA

Diese Tiere gehören zu den besten Lastenträgern in Minecraft, aber sie lassen sich nicht mit einem Sattel reiten. Führe sie lieber an einer Leine. Lamas sind zwar meist passiv, bespucken aber jeden, der sie angreift … und friedliche Wölfe, die ihnen zu nahe kommen.

BIOME:
TAFELBERGE

Tafelberge sind eher selten. Ihre einzigartige Farbgebung rührt von rotem Sand und verschiedenen Keramiksorten her. Die Varianten unterscheiden sich stark voneinander, und doch ähneln sie sich. Und: Hier gibt es viel Gold!

ABGETRAGENE TAFELBERGE

Wie normale Tafelberge ist auch diese Variante mit rotem Sand bedeckt, aber die hohen Felsnadeln aus Keramik verleihen ihr etwas Besonderes. Sieh immer dahinter nach – dort könnten sich nämlich überirdische Minen befinden!

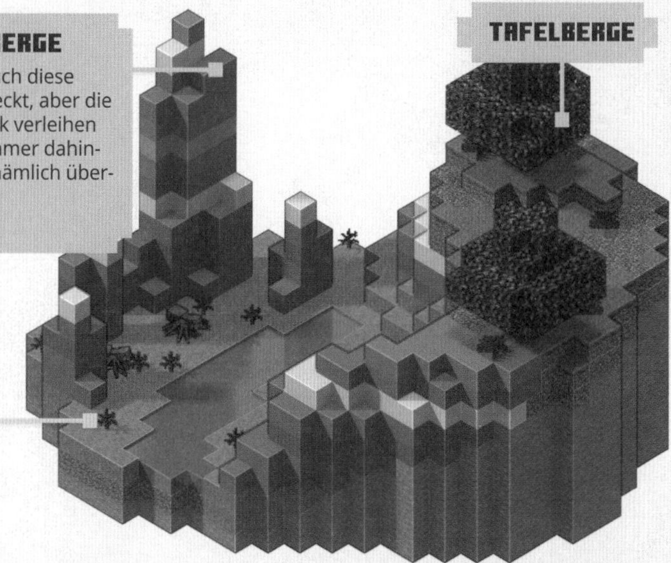

TAFELBERGE

BEWALDETE TAFELBERGE

In dieser Variante wachsen kleine Eichenwälder – die letzte Rettung für verzweifelte Abenteuersuchende. Trotzdem ist das Erkunden hier alles andere als leicht und Nahrung schwer zu finden.

WIE DAS GLITZERT!

Tafelberge sind der beste Ort für Goldjäger, denn nirgendwo sonst gibt es so viel von dem wertvollen Metall. Außerdem kommen hier mehr Minen vor – manche ragen sogar aus den Berghängen ins Tageslicht!

FEINDLICHE UMGEBUNG

Tiere spawnen hier nicht, und es gibt kaum Vegetation, weshalb Nahrung ein seltenes Gut ist. Nimm lieber einen guten Vorrat mit, wenn du herkommst – du wirst ihn brauchen, denn Monster gibt es hier genug!

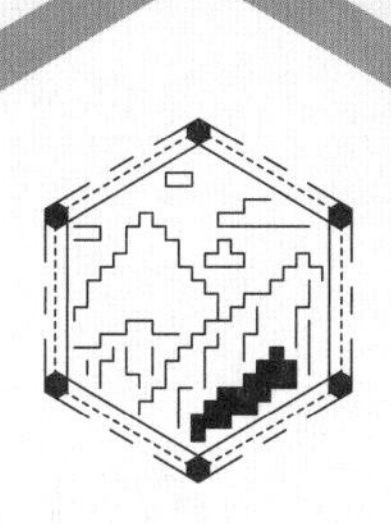

KALTE LANDSCHAFTEN

Vom Meeresspiegel bis zum höchsten schneebedeckten Berggipfel bieten kalte Landschaften viele von Minecrafts einzigartigsten und gefährlichsten Erkundungsmöglichkeiten. In diesem Kapitel sehen wir uns die verschiedenen Landschaften, besonderen Gebäude und Monster an, auf die du in den kältesten Regionen der Oberwelt stoßen wirst.

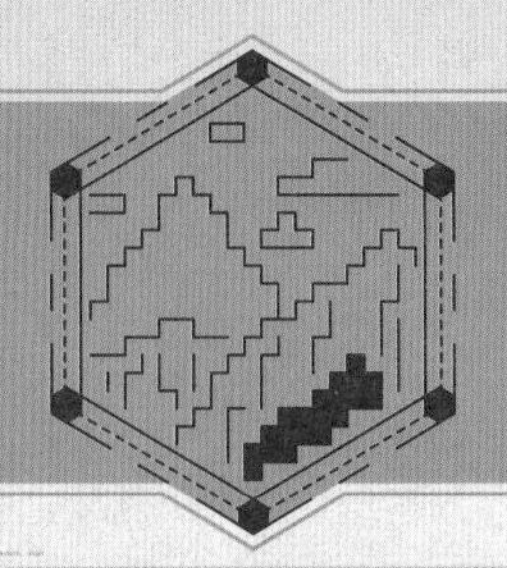

BIOME: ZERZAUSTE HÜGEL

Wenn du über Hügel wanderst und es plötzlich kühler wird, könnte es sein, dass du in einem der selteneren kalten Biome gelandet bist, die zur „zerzausten" Variation gehören. Zieh dich warm an und achte darauf, wo du hintrittst.

ZERZAUSTER WALD

In diesem eher ungewöhnlichen Biom gibt es Eichen- und Fichtenwälder, die für Holznachschub sorgen. Du findest sie am Rand hoher Berge, die an flachere Biome grenzen. Nicht abstürzen!

ZERZAUSTE GERÖLL-HÜGEL

Diese Hügel sind über und über mit Kies bedeckt, weshalb hier weder Gras noch Bäume wachsen. Baust du Kies von unten ab, sei vorsichtig – wenn er herabstürzt, kannst du darunter ersticken.

ZERZAUSTE HÜGEL

Das grasbewachsene steinerne Terrain ist leicht mit dem eines normalen Berghangs zu verwechseln. In diesem Biom wachsen nur wenige Bäume, und es wird kälter, je höher du kletterst – ganz oben stößt du vielleicht sogar auf Schnee und Eis.

KUH, SCHAF, SCHWEIN UND HUHN

Diese vier Klassiker unter den Minecraft-Tieren findest du fast überall in der Oberwelt. Du kannst sie erlegen, um an ihr Fleisch zu gelangen; außerdem droppen sie Leder, Federn und Wolle.

GENERIERTE BAUTEN:
PLÜNDERER-AUSSENPOSTEN

Plünderer-Außenposten sind eindrucksvolle Türme aus Schwarzeiche. Sie haben etwas Mysteriöses an sich, und nur die mutigsten Abenteuersuchenden wagen sich hinein. Was sie dort wohl finden?

BEUTE

Wer nach ganz oben will, muss kämpfen. Die Belohnung ist eine Truhe, die mit einer Chance von 50 % eine Armbrust enthält – und diverse andere Schätze.

AUSSENPOSTEN AUFSPÜREN

Außenposten findest du in vielen Biomen, oft in der Nähe von Dörfern. Von der Aussichtsplattform ganz oben können dich die dort hausenden Plünderer schon aus weiter Ferne entdecken, also sei vorsichtig.

BÖSES OMEN

Besiegst du einen Plündererhauptmann, erhältst du den „Böses Omen"-Effekt. Wenn du danach ein Dorf betrittst, löst der Effekt einen Raubzug aus, der wellenweise aggressive Plünderer spawnt.

MOBS UND MEHR

PLÜNDERER

Diese Monster kommen in Außenposten vor, spawnen aber auch als Patrouillen überall in der Oberwelt. Sie sind gute Schützen und greifen sowohl Dorfbewohner als auch dich an.

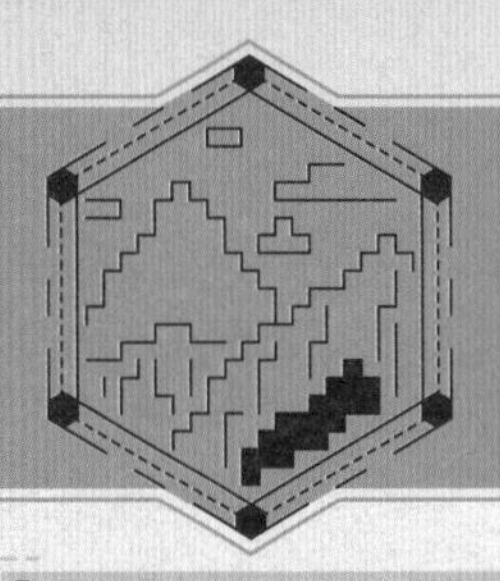

BIOME: TAIGA

Dieses Grasland eignet sich gut für Neulinge in den kalten Biomen. Hier ist es zwar kühl, aber es gibt massig Fichten, die dir Holz liefern. Die verschneite Taiga ist ähnlich, aber alles ist mit einer Schneeschicht bedeckt – und es gibt Iglus!

URTAIGA

Die Bäume der Urtaiga sind uralt – daher auch der Name – und dadurch riesengroß. Aufgrund der hohen Feuchtigkeit in diesem Biom kann es gut sein, dass sich unter der Oberfläche eine üppige Höhle befindet (siehe S. 71), also rüste dich gut aus, um auch unterirdisch zu forschen.

VERSCHNEITE TAIGA

TAIGA

MOBS UND MEHR

FUCHS

Diese scheuen Tiere findest du in der Taiga oft friedlich in der Sonne schlummernd vor. Achtung, wenn sie auf Beutejagd sind, greifen sie aus dem Sprung an!

GENERIERTE BAUTEN: IGLU

Iglus kommen nur in verschneiten Biomen vor und sind leicht zu übersehen. Ihr Äußeres mag klein und unbedeutend erscheinen, aber drinnen finden Abenteuersuchende ein Quartier und manchmal etwas noch Aufregenderes!

AUFBAU

Der behagliche Innenraum eines Iglus bietet Schutz vor der Kälte und beherbergt ein Bett, einen Ofen und eine Werkbank. Aber noch viel interessanter ist, was du auf den ersten Blick nicht siehst ...

FALLTÜR

Etwa die Hälfte aller Iglus werden mit einer Falltür unter dem Teppich generiert. Sie führt zu einem Keller, in dem sich ein Braustand, eine Truhe und mysteriöse Zellen befinden.

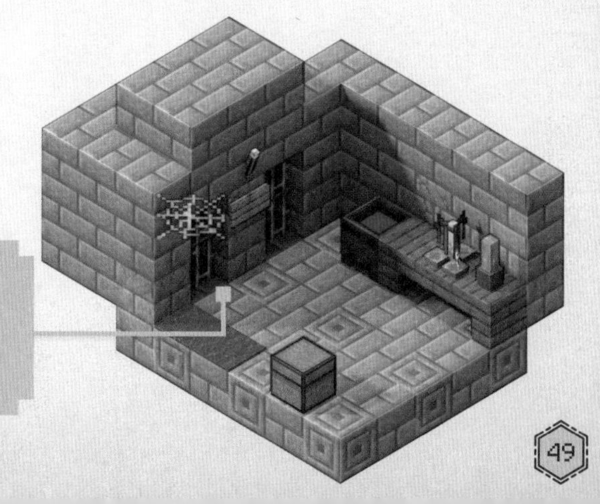

GEFANGENE?

In den Zellen im Keller hocken zwei ungewöhnliche Nachbarn – beides sind Dorfbewohner, nur ist einer ein Zombie! Heilst du ihn mit einem goldenen Apfel?

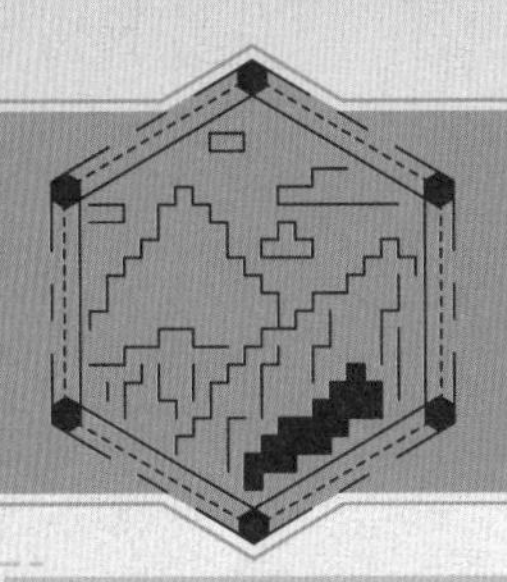

BIOME: VERSCHNEITE EBENE

Die verschneite Ebene mit ihrem perlweißen Schnee und den turmhohen Eisformationen ist wunderschön. Hier zu überleben ist allerdings nicht leicht, denn es gibt nur wenige Tiere, und der tückische Pulverschnee bewirkt Frostschaden.

GEBÄUDE

Sie sind selten, aber es ist durchaus möglich, auf hölzerne Dorfgebäude zu stoßen, die weithin sichtbar sind und eine warme Unterkunft bieten.

NATÜRLICHE FARBEN

Der Großteil dieser Ebenenvariante ist schneebedeckt; sichtbares Gras ist türkisfarben. Überall ist Eis und sämtliche Flüsse und Seen sind gefroren – außer wenn sich in Ufernähe ein Lavateich befindet.

ÜBERLEBEN

Wegen des vielen Schnees mag es unglaublich erscheinen, aber verschneite Ebenen sind eigentlich ein Grasland. Das Klima sorgt für spärlichen Baumbewuchs und wenige tierische Bewohner, wodurch die Gegend karg wirkt.

MOBS UND MEHR

EISBÄR

Eisbären sind außergewöhnlich, beeindruckend und kommen nur in Eisbiomen vor. Halte Abstand, sonst greifen sie dich womöglich an!

BIOME:
EISZAPFENTUNDRA

Manche Orte muss man mit eigenen Augen gesehen haben, ehe man glaubt, dass sie existieren – dazu gehört auch die Eiszapfentundra. Die von hohen Eistürmen geprägte Landschaft wirkt wie von einem anderen Planeten.

LANG UND KURZ

Die Eiszapfen gehören in zwei Kategorien: Die kleineren kommen häufiger vor, sind breiter und etwa 15 Blöcke hoch. Ihre großen Kameraden sind dünn und erreichen Höhen von bis zu 50 Blöcken!

EISZAPFEN AUFSPÜREN

Du magst denken, weil sie nur in der Eiszapfentundra vorkommen, sind sie schwer zu finden, aber dank der baumlosen Landschaft sind die hohen Gebilde schon aus weiter Ferne zu entdecken.

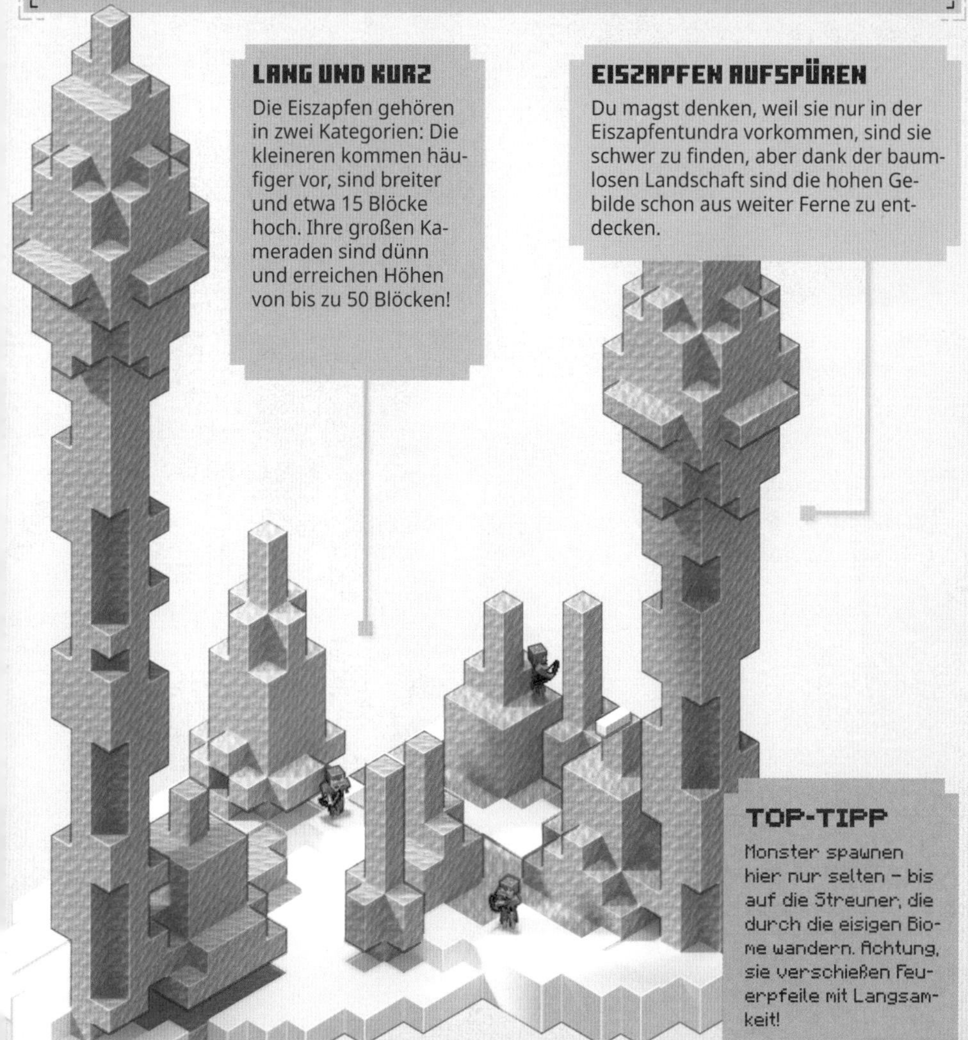

TOP-TIPP

Monster spawnen hier nur selten – bis auf die Streuner, die durch die eisigen Biome wandern. Achtung, sie verschießen Feuerpfeile mit Langsamkeit!

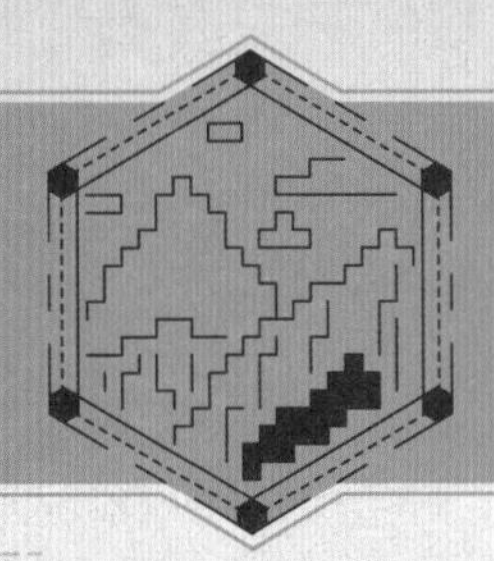

BIOME: HÄNGE

Wenn du dich einer bergigen Landschaft näherst, hast du einiges an Kletterarbeit vor dir. Nimm ausreichend Vorräte mit, denn du könntest mehrere Tage unterwegs sein.

BERGHAIN

Wenn an den Berghängen Bäume wachsen, befindest du dich wahrscheinlich in einem Berghain. Der Schnee kann sich hier hoch auftürmen und unberechenbar sein.

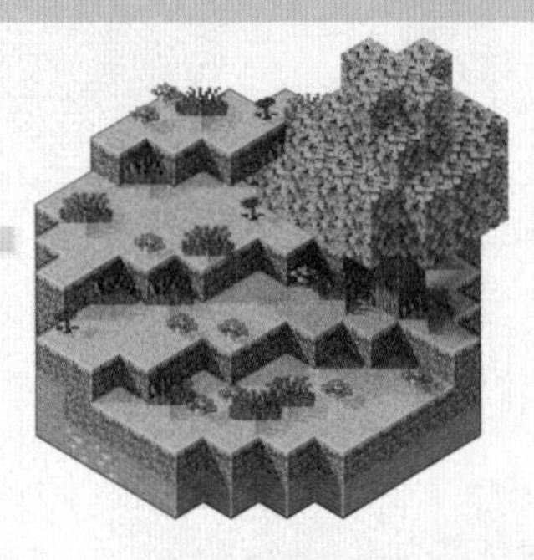

ALM

Almen kommen am Fuß von Berglandschaften vor und sind das einzige bergige Biom, in dem Dörfer generiert werden – der perfekte Ort für eine Expedition.

VERSCHNEIT

An den kahlen Steinhängen sammelt sich Pulverschnee, und hier und dort lauern Ziegen, die je nach Laune entweder kreischen oder dich rammen.

MOBS UND MEHR

KANINCHEN

Diese scheuen Tiere sind selten. Erlegst du eins, erhältst du Fleisch für ein Ragout und manchmal eine Pfote, die du zum Brauen von Sprungtränken brauchst.

BIOME:
GIPFEL

Ganz oben auf den Bergen, wo die Luft eisig und schneidend ist, findest du die Gipfelbiome. Es gibt sie nirgendwo sonst, und sie gehören zu den eindrücklichsten Landschaften der Oberwelt.

VEREISTE GIPFEL

Nur die Mutigsten und am besten Vorbereiteten wagen sich hinauf auf diese Gipfel. Die Berge um die vereisten Gipfel sind zwar übersichtlicher als andere, aber dafür gibt es überall Gletscher aus Packeis – sei vorsichtig!

STEINIGE GIPFEL

In der Nähe einer Savanne oder eines Dschungels werden steinige Gipfel generiert. Die Felsen haben freiliegende Erzvorkommen, die zum Weiterklettern verlocken.

ZERKLÜFTET

Die zerklüfteten Gipfel dieses Bioms ragen hoch in die Wolken hinauf. Eine dicke Schneeschicht verhüllt die Sicht auf Erze. Sei vorsichtig – ein Fehltritt, und du könntest abstürzen!

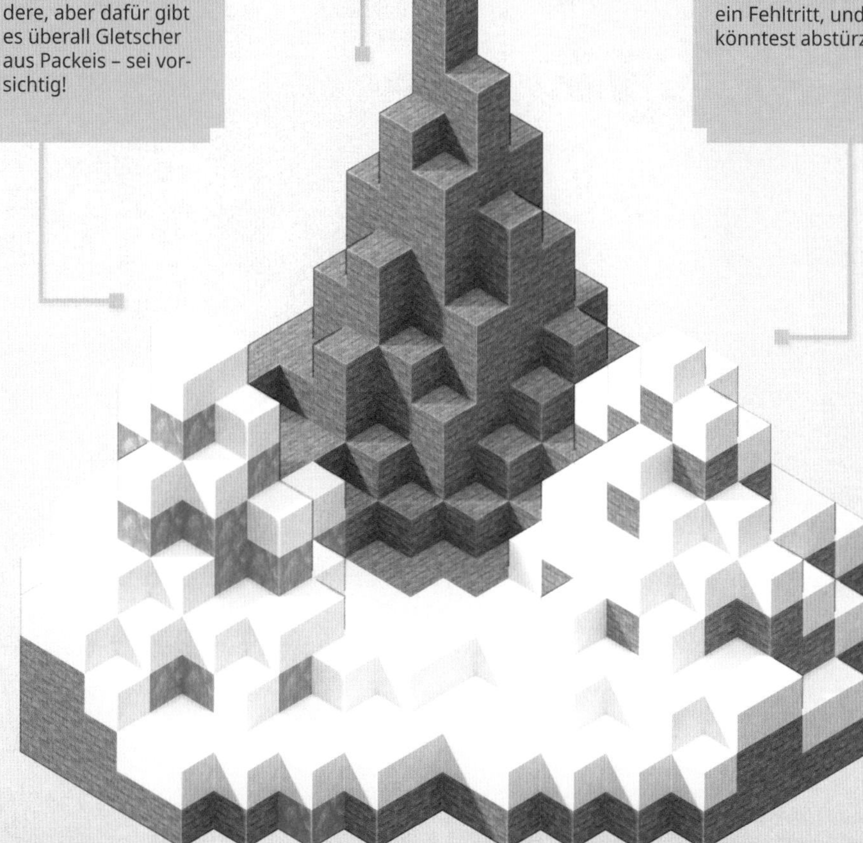

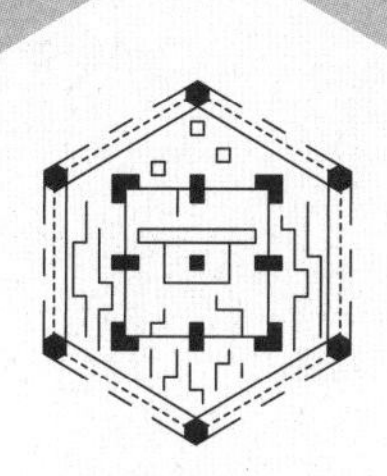

WASSER-LANDSCHAFTEN

Ein Großteil der Oberwelt ist mit Wasser bedeckt, du wirst also nicht lange nach einem Wasserbiom suchen müssen. Diese Landschaften sind für alle Abenteurer verlockend, gehören aber aufgrund ihrer Beschaffenheit zu denen, die selbst den mutigsten Forschenden gefährlich werden können. Springen wir hinein und betrachten diese mysteriöse Welt aus der Nähe.

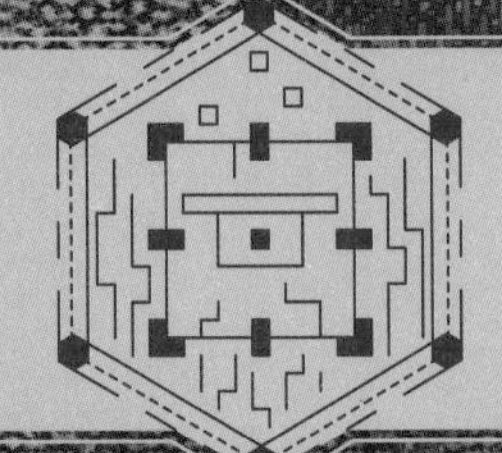

FLÜSSE

GEFAHREN BEIM ERKUNDEN

Es gibt viel zu entdecken – schon vom Ufer aus wirst du schimmernde Erze erkennen, doch noch interessanter sind die gähnenden Eingänge von Unterwasserhöhlen, in denen große Schätze warten. Deine Atemluft ist jedoch begrenzt, also behalte immer die Luftbläschen im Auge!

SCHON GEWUSST?

Boote transportieren dich und deine Truhe schnell übers Wasser. Doch manche Flüsse verlaufen im Kreis – pass auf, sonst findest du dich bald an deinem Startpunkt wieder.

Überall in der Oberwelt schlängeln sich Flüsse durch die Landschaft. Manchmal bilden sie natürliche Grenzen zwischen Biomen, und oft führen sie zum Ozean. Von oben betrachtet mögen sie harmlos erscheinen, aber unter der Oberfläche haust so manch ein Monster. Wagen wir uns trotzdem hinein!

TIEF UNTEN

Die meisten Flüsse sind nicht besonders tief, und man kann vom Ufer aus den Grund sehen. In bergigen Regionen ist das anders – dort können sie so tief wie Meere sein, was die Sicht erschwert.

MOBS UND MEHR

ERTRUNKENER

Unter Wasser sind dir bestimmt schon einmal diese Zombievarianten begegnet. Genau wie ihre Artgenossen an Land greifen sie meist mit bloßen Klauen an – bis auf einige wenige, die mit einem Dreizack spawnen, einer der gefährlichsten Waffen überhaupt.

RESSOURCEN

Flüsse beherbergen viele nützliche Gegenstände und Ressourcen. Eine Angel ist nicht nötig – erlege Fische einfach mit dem Schwert, und sie füllen deine Hungerleiste auf, ob roh oder gebraten. In flachem Wasser findest du oft Kies – und damit Feuerstein – sowie Ton.

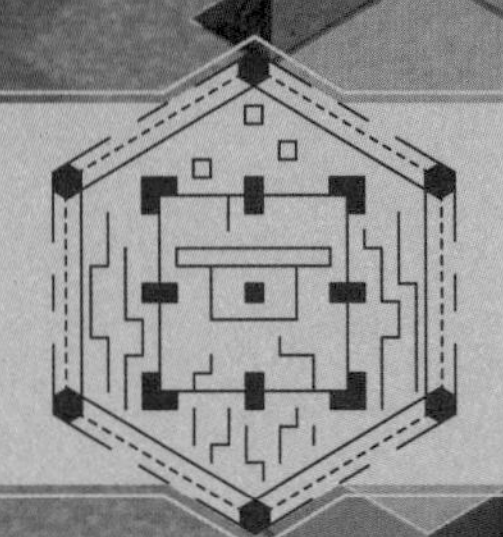

BIOME:
PILZFELDER

BEWOHNER

Pilzfelder sind die Heimat der Pilzkühe, die es nirgendwo sonst in der Oberwelt gibt. In diesem Biom spawnen keine Monster – nicht einmal bei Dunkelheit –, wodurch es zur sicheren Zuflucht für die Nacht wird ... jedenfalls, wenn du ein Bett dabeihast. Phantome gibt es nämlich auch hier!

ISOLIERTE INSELN

Diese außergewöhnlichen Inseln spawnen oft in Tiefsee-Gebieten, weit weg von großen Landmassen. Hast du einmal eine aufgespürt, ist die Chance groß, dass sich in der Nähe weitere befinden.

EINZIGARTIGE OBERFLÄCHE

Trotz ihres geringen Umfangs siehst du Pilzfelder schon aus der Ferne. Das liegt an den hier wuchernden Riesenpilzen und dem allgegenwärtigen Myzel. Die seltenen Erdblöcke sehen aus, als würden sie Sporen absondern.

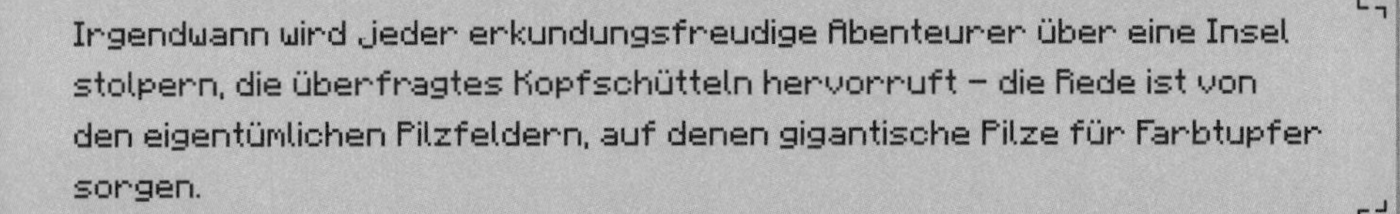

Irgendwann wird jeder erkundungsfreudige Abenteurer über eine Insel stolpern, die überfragtes Kopfschütteln hervorruft – die Rede ist von den eigentümlichen Pilzfeldern, auf denen gigantische Pilze für Farbtupfer sorgen.

MOBS UND MEHR

PILZKUH

Pilzkühe sehen aus wie normale Kühe, aber sind fast immer knallrot und mit Pilzen übersät. Du kannst sie züchten, melken und sogar scheren – dann droppen sie Pilze ... und verwandeln sich in normale Kühe.

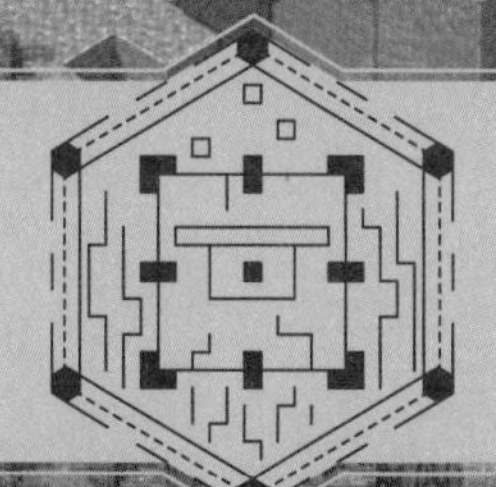

OZEANE

TIEFSEE

Alle Ozeane bis auf die warmen haben eine Tiefsee-Variante. Sie ist doppelt so tief und kann Ozeanmonumente beherbergen – etwas ganz Besonderes für alle auf Abenteuersuche. Pass bloß auf die gefährlichen einäugigen Wächter auf!

LAUWARME OZEANE

Entlang der Küsten von Dschungeln und Savannen erstrecken sich lauwarme Ozeane. Hier ist der Meeresboden mit Sand bedeckt, und das Wasser schimmert hellblau. Tropenfische tummeln sich in diesen Gefilden.

OZEAN

Ozeane können sich über Tausende Blöcke erstrecken. Unter der Oberfläche verbirgt sich hügeliges Terrain mit hohen Gipfeln und tiefen Tälern, deren Seegras und Tang wie Wälder anmuten.

Ozeane bedecken von allen Biomen die größte Fläche und wirken von oben gesehen recht karg – aber dieser Eindruck täuscht! Von riesigen Gräben bis hin zu alten Schiffswracks gibt es viel zu sehen und zahlreiche Gefahren zu bestehen.

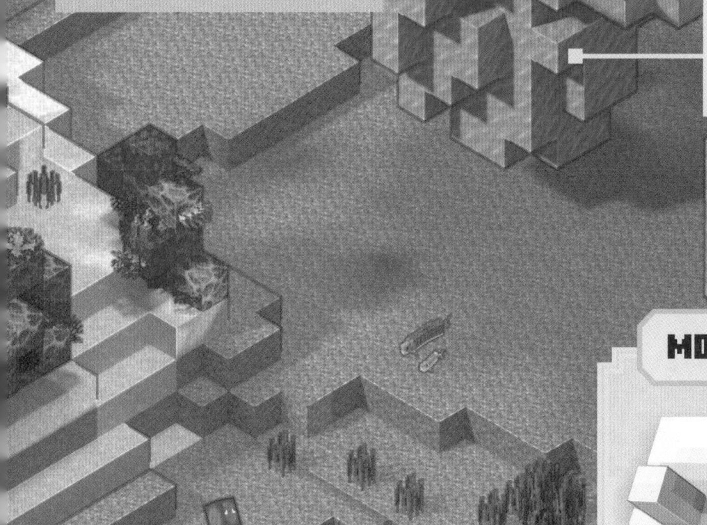

WARMER OZEAN

Warme Ozeane grenzen an Wüsten und Tafelberge. Du erkennst sie am türkisfarbenen Wasser und den vielen kunterbunten Korallen, die nur hier spawnen.

VEREISTER OZEAN

Der Meeresboden unter vereisten Ozeanen besteht aus weitläufigen, kargen Kiesfeldern. Die meist gefrorene Oberfläche hat nicht viel zu bieten – aber mit etwas Glück stößt du hier auf eines der schönsten Naturwunder überhaupt: einen Eisberg samt Eisbär.

MOBS UND MEHR

DELFIN

Diese Tiere gewähren dir einen Geschwindigkeitsbonus, wenn du in ihrer Nähe schnellschwimmst. Sie können sehr hoch springen, aber ihr wahres Talent zeigt sich erst, wenn du sie mit rohem Lachs oder Kabeljau fütterst – dann führen sie dich nämlich geradewegs zum nächsten Schiffswrack!

KALTER OZEAN

Durch die viel dunklere Wasserfärbung unterscheidet sich diese Ozeanvariante deutlich von den wärmeren. Zudem wächst am Boden weniger Seegras – die tierischen Bewohner hingegen kommen fast überall vor.

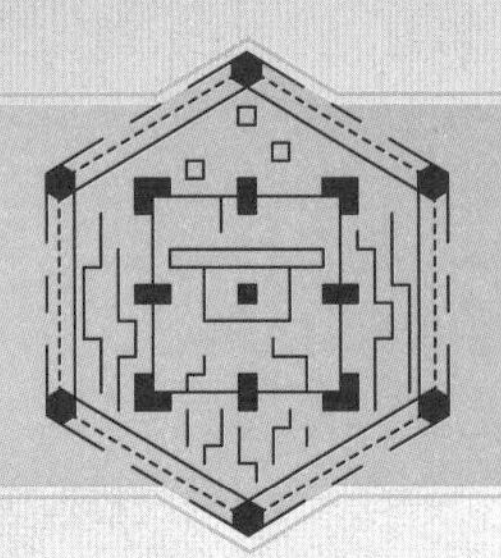

GENERIERTE BAUTEN: SCHIFFSWRACK

GEFAHREN

Wie bei jedem Unterseeabenteuer solltest du dich auf gewisse Gefahren gefasst machen. Lass dich nicht von einem Ertrunkenen mit Dreizack erwischen, behalte deinen Luftvorrat im Auge und vor allem: Verirre dich nicht!

GUT VORBEREITET

Ein Schildkrötenpanzer kann für die Erkundung von Unterwasserbauten überaus nützlich sein. Er gewährt 2 Rüstungspunkte und ganze 10 Sekunden zusätzliche Wasseratmung – superpraktisch!

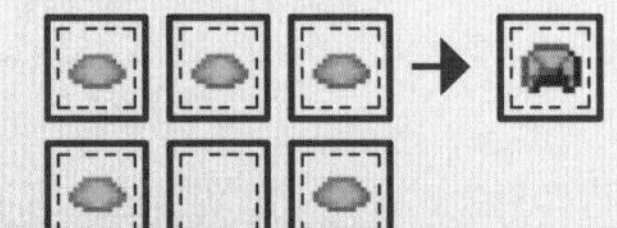

Schildkrötenpanzer-Rezept

Eine der spannendsten Entdeckungen unter Wasser ist das Schiffswrack. Sie kommen in allen Ozeanvarianten vor, manchmal völlig von Wasser umschlossen, manchmal mit freiliegendem Mast, manchmal am Strand und sowohl aufrecht als auch auf die Seite gekippt oder über Kopf. Ahoi!

AUFBAU

Schiffswracks werden unterschiedlich stark beschädigt generiert und verschmelzen mit der Umgebung. Manche liegen aufrecht und intakt im Wasser, andere sind auf die Seite gekippt oder sie stehen kopf, und eine ganze Hälfte fehlt.

SCHIFFSWRACKS AUFSPÜREN

Schiffswracks sind relativ selten und nicht immer leicht aufzuspüren. Mithilfe eines Delfins findest du sie schneller, aber nichts ist besser, als zufällig auf eins zu stoßen. Manchmal ragt ein Mast aus dem Wasser, oder sie kommen an der Oberfläche vor – meist an (verschneiten) Stränden sowie neben Eisbergen und Schluchten. Mit ein wenig Glück findest du bestimmt bald eins!

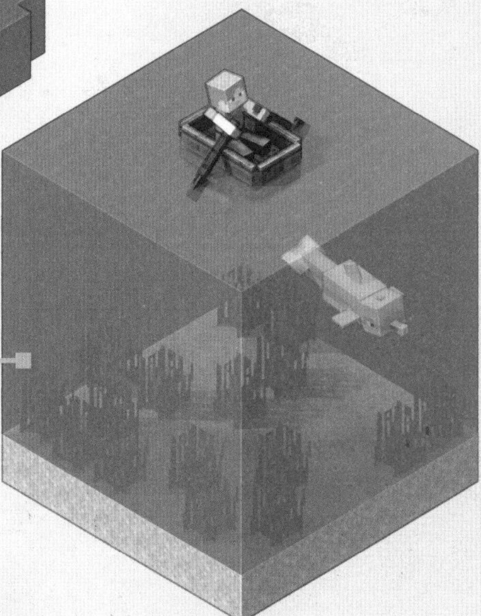

SCHÄTZE

Kein Schiffswrack ist vollständig ohne Schätze. Bis zu drei Truhen verbergen sich in einem einzigen Wrack – eine im Bug und je eine im oberen und unteren Heckbereich. Findest du mindestens zwei Truhen vor, enthält eine davon eine Karte, die zu einem vergrabenen Schatz führt!

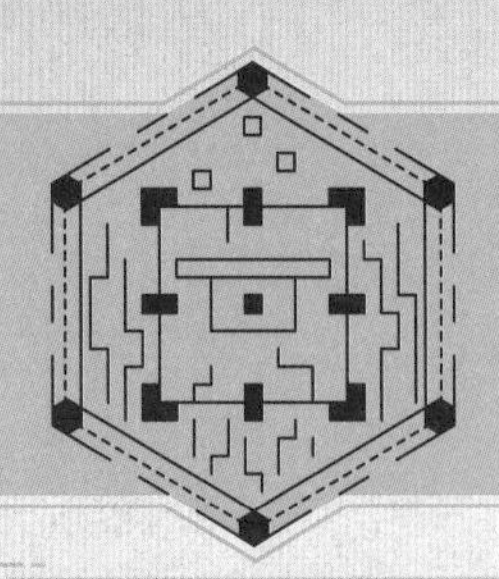

GENERIERTE BAUTEN: OZEANRUINE

Ozeanruinen sind eine Ansammlung ozeanischer Bauwerke, die in vielen Formen und Größen vorkommen. Ob du nun auf eine einzelne oder ein ganzes Dorf aus Ruinen stößt – es lohnt sich, sie zu erforschen.

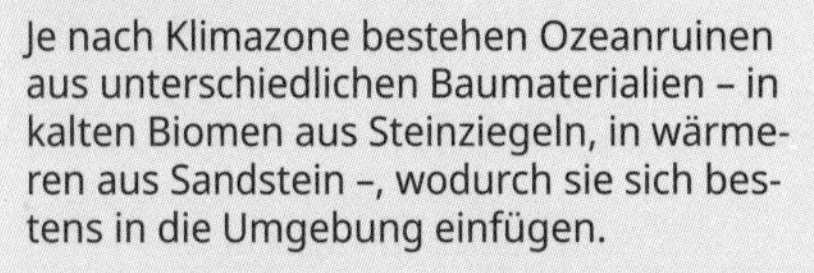

AUFBAU

Je nach Klimazone bestehen Ozeanruinen aus unterschiedlichen Baumaterialien – in kalten Biomen aus Steinziegeln, in wärmeren aus Sandstein –, wodurch sie sich bestens in die Umgebung einfügen.

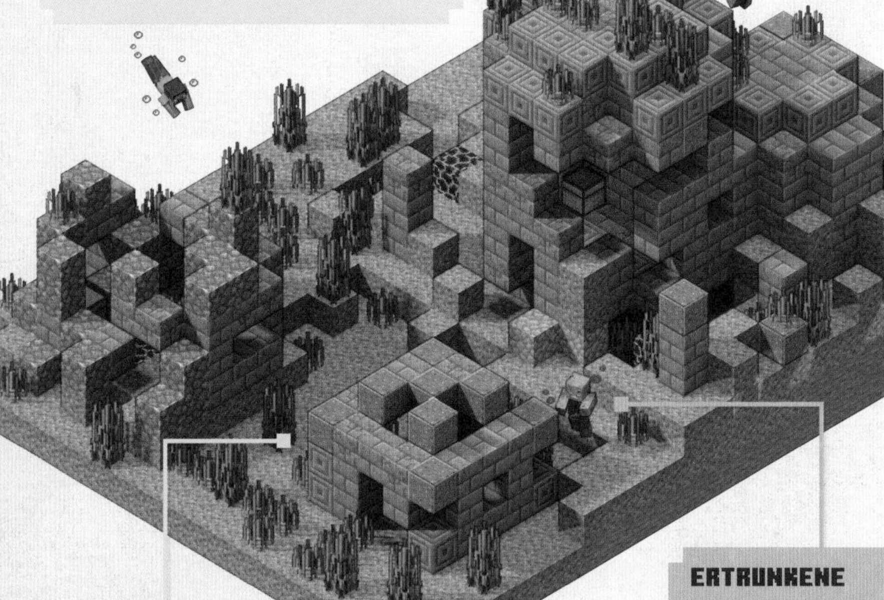

VERGRABEN

Eine Ozeanruine mag optisch nicht viel hermachen, aber in vielen verbergen sich Truhen. Halte nach verdächtigem Sand Ausschau – darin könnte sich das Ei eines echten Urtiers verbergen: des Schnüfflers!

ERTRUNKENE

Sobald du in die Nähe einer Ozeanruine kommst, werden sofort die Ertrunkenen auf dich aufmerksam, die mit Vorliebe hier spawnen. Sieh dich gut um, bevor du eine Truhe oder verdächtigen Kies untersuchst, sonst erwischen sie dich womöglich kalt!

GENERIERTE BAUTEN:
OZEANMONUMENT

Diese riesigen Gebäude findest du in den Tiefseevarianten aller Ozeane. Sie sind wie ein Labyrinth aus Kammern, in denen dich gefährliche Kreaturen erwarten, aber auch seltene Beute.

STANDORT

Aufgrund ihrer Größe sind Ozeanmonumente selbst aus der Ferne kaum zu übersehen. Wenn du schnell eins finden möchtest, kannst du bei einem Kartografen eine Ozean-Forscherkarte kaufen. Mehr Infos zu Karten findest du auf Seite 20/21.

GEFAHREN

Es ist allzu leicht, sich hier zu verirren, weshalb es ziemlich tollkühn wäre, sich ohne Wasseratmung in ein Ozeanmonument zu wagen. Zumal hier die gefährlichen Wächter umherstreifen, die alles bestens im Auge haben.

PRISMARIN

Das Prismarin, aus dem Ozeanmonumente bestehen, gibt ihnen ein einzigartiges Aussehen. Wenn du deinen Ausflug in die vielen verschlungenen Kammern überlebst, kehrst du womöglich mit reicher Beute zurück, zum Beispiel Goldblöcken und Schwämmen.

MOBS UND MEHR

WÄCHTER UND WÄCHTERÄLTESTER

Diese Monster greifen an, indem sie Laserstrahlen auf dich abfeuern. Berührst du einen, wehrt er sich mit ausgefahrenen Stacheln. Der Wächterälteste ist das stärkste Wassermonster überhaupt, und in jedem Monument gibt es drei.

UNTERIRDISCHE LANDSCHAFTEN

Unter der Oberfläche wartet eine ganze Welt darauf, von dir erkundet zu werden. Aber Vorsicht: Sie wird deine Fähigkeiten gründlich auf den Prüfstand stellen, denn in den verschlungenen, weitverzweigten Höhlensystemen wimmelt es von Monstern ... aber auch atemberaubenden Aussichten.

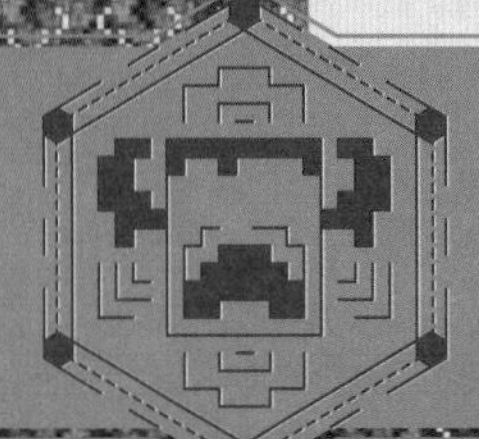

HINAB IN DEN UNTERGRUND

ALLER ANFANG ...

Der Untergrund ist ein gefährlicher Ort. Bereite dich gut auf den Abstieg vor, lass deine Wertsachen oben und nimm nur das Nötigste mit.

ÜBERSCHUSS

Überschüssige Blöcke sind nützlich, um in die Tiefe zu steigen, Schluchten zu überbrücken oder Mauern zu errichten, um Monster fernzuhalten. Nimm einen Stapel Bruchstein oder Erde mit.

MARKIERUNGEN

Behalte deine Koordinaten im Auge. Stirbst du, ohne zuvor in einem Bett geschlafen zu haben, ist der Ort schwer wiederzufinden. Gehe in die Weltoption im Hauptmenü, um die Koordinaten einzublenden.

Bergbau ist extrem wichtig, wenn du an wertvolle Materialien und seltene Gegenstände gelangen willst, die dir an der Oberfläche gute Dienste leisten. Ob geplant oder nicht – in den zahlreichen Höhlen, Minen und unglaublichen unterirdischen Bauwerken kannst du Tage und Wochen verbringen.

SPITZ DIE OHREN

Dreh die Lautstärke auf – hier unten hörst du Monster und tropfendes Wasser bzw. Lava durch die Wände! So kannst du Gefahren umgehen und verborgene Schätze entdecken.

TIEFSCHLAF

Je tiefer du vordringst, desto eher wirst du dich verlaufen und womöglich sogar sterben. Stelle ein Bett auf und schlafe darin, damit du in der Nähe respawnst. Aber vergiss nicht, erneut zu schlafen, wenn du wieder an der Oberfläche bist.

Mit einer Eisenspitzhacke gewinnst du die wertvollsten Erze, zum Beispiel Gold und Diamanten.

Fackeln sind extrem wichtig, um dunkle Höhlen zu beleuchten und den Weg zurück zu finden.

Nutze ein Steinschwert für den Nahkampf. Es ist zwar nicht stark, aber leicht herzustellen, wenn dir die Materialien ausgehen.

Waffen müssen ersetzt und Öfen befeuert werden. Nimm unbedingt Holz mit – es ist Gold wert!

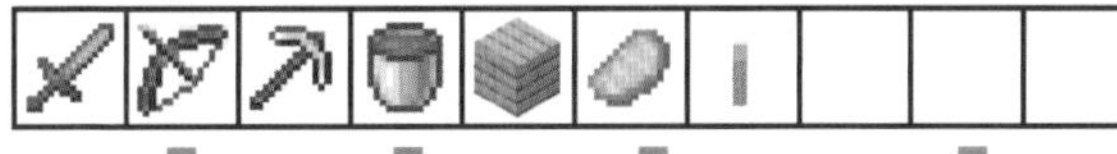

Mit einem Wassereimer kannst du einen Wasserfall erschaffen, falls du einmal schnell in einen tiefen Abgrund hinabsteigen – oder wieder herauswillst.

Halte genügend Platz für alles Wertvolle frei, das du unter der Oberfläche findest.

In Höhlen wimmelt es von Skeletten. Verteidige dich mit einem Bogen.

In Höhlen gibt es kaum Nahrung, also nimm unbedingt welche mit.

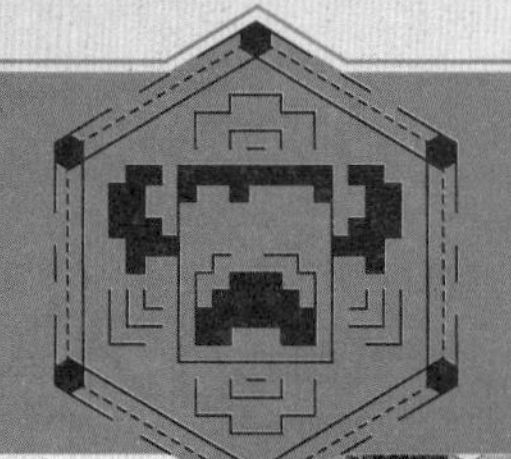

HÖHLEN

WO?

Höhlen lassen sich auf vielerlei Arten aufspüren. Manchmal stolperst du über eine Öffnung im Boden. Oder du bist bereits im Untergrund – ob über oder unter Wasser – und stößt beim Graben auf ein ganz neues Höhlensystem.

EPISCHER UNTERGRUND

Höhlen kommen in allen Formen und Größen vor. Manche sind winzige Kavernen, andere winden sich scheinbar endlos durch den Boden.

MOBS UND MEHR

CREEPER

Dieses berühmte Monster kennst du bestimmt schon längst. Obwohl sie aufgrund ihrer grünen Farbe in Höhlen leicht zu entdecken sind, erwischen sie dich oft kalt, denn sie bewegen sich fast lautlos. Kommt dir ein Creeper zu nahe, zischt er kurz, bevor er explodiert – was enormen Schaden anrichtet.

RISIKO UND BEUTE

Unterirdische Höhlen belohnen geduldige Höhlenforschende. In den Wänden sind wertvolle Erze wie Eisen, Gold und Diamanten leicht zu entdecken. Behalte immer deine Umgebung im Auge, denn in der Dunkelheit sind Monster nie weit weg.

In Höhlen kann man Stunden, manchmal sogar Tage verbringen. Auch wenn du in der Nähe keinen Höhleneingang sehen kannst, bist du nie weit von einem unterirdischen Abenteuer entfernt. Grabe dich danach einfach zurück nach oben, und bringe deine tollen neuen Schätze nach Hause.

HÖHLEN

Es gibt zwar viele Höhlenvarianten, aber diese hier ist die gängigste und leicht erkennbar. Manche Kavernen sind riesig und gut überschaubar, was das Erkunden erleichtert, andere bestehen aus engen, verschlungenen Korridoren, in denen tückische Gefahren lauern.

ÜPPIGE HÖHLEN

In feuchten Biomen sind Azaleenbäume der beste Hinweis auf eine üppige Höhe im Untergrund. Dort besteht der Boden aus Moos, Moosteppichen und Azaleen, und überall hängen Ranken und Glühbeeren von der Decke. Mit etwas Glück findest du sogar einen süßen Axolotl!

TIEFES DUNKEL

Weit im fast lichtlosen Untergrund ist der Boden mit Sculk und Sculk-Adern bedeckt. Überall sind Sculk-Sensoren verstreut, die Sculk-Heuler aktivieren, wenn du dich ihnen näherst. Sie beschwören den Wärter – den wohl gefährlichsten Minecraft-Boss. Außerdem können Antike Städte nur im Tiefen Dunkel generiert werden.

TROPFSTEINHÖHLEN

Meist im Inland angesiedelt, sorgen die Stalagmiten und Stalaktiten für eingeschränkte Bewegungsfreiheit. Außerdem schaden sie dir, wenn du auf einem landest. Hier gibt es massenweise Kupfererz und Amethystgeoden, also nimm mit, was du tragen kannst.

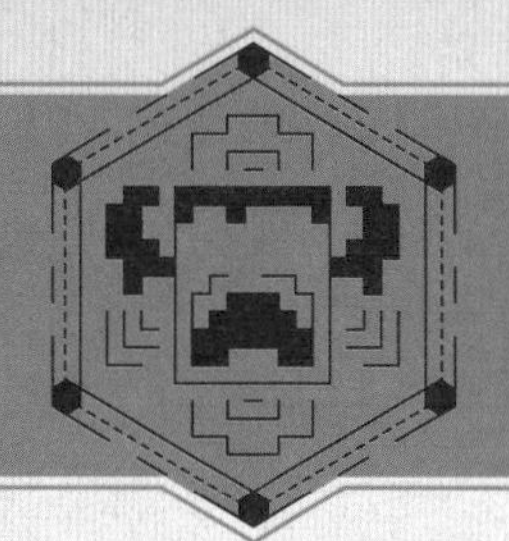

GENERIERTE BAUTEN: MINE

KOMPLEXE STRUKTUREN

Minen können unterschiedlich groß sein und sogar direkt nebeneinander spawnen, wodurch sie riesige Komplexe bilden. Dadurch sind sie nicht leicht zu erkunden, also nimm Fackeln mit, um deinen Weg zu markieren.

STEGE

Wenn Minen in und um tief gelegene Höhlen generiert werden, spawnen oft hölzerne Stege, die tiefe Schluchten überbrücken. Sie helfen dir durch gefährliches Terrain und sind eine gute Orientierungshilfe – allerdings werden sie natürlich auch von Monstern benutzt.

MOBS UND MEHR

SKELETT

Diese untoten Monster kommen überall in der Oberwelt vor. Ihre Bögen sind in den engen Minenschächten besonders effektiv. Nimm einen Schild mit, um dich vor Pfeilen zu schützen.

BEUTETRUHEN

Beim Erkunden der zahlreichen verwundenen Korridore wirst du früher oder später auf eine Lore mit Truhe stoßen, die vergessene Gegenstände wie verzauberte goldene Äpfel, Schienen, Diamanten und Nahrung enthalten können.

Minen sind ein meist tief im Untergrund verborgenes Labyrinth aus ineinander verschlungenen Tunneln. Die überall herumliegenden Schienen und das Eichenholz der Stützbalken und Plattformen verleihen ihnen ein einzigartiges Aussehen.

MONSTER

In den langen dunklen Minenkorridoren wimmelt es von Monstern, die manchmal wie aus dem Nichts auftauchen. Vorbereitung ist alles, also nimm Schwert und Bogen und unbedingt auch einen Schild mit.

VERLASSENE KORRIDORE

Mit einer Schere kannst du die vielen Spinnweben abbauen. Aber sei vorsichtig – in ihrer Mitte befindet sich oft ein Höhlenspinnenspawner. Diesen kannst du mit einer Spitzhacke abbauen, damit die Spinnenflut aufhört.

TAFELBERG-MINEN

In diesem Biom ragen die alten Minenschächte hier und dort oberirdisch aus den Berghängen. Erblickst du hier die typischen Schwarzeichenbauten, sieh dich ein wenig um – dort gibt es nämlich massig Gold zu finden.

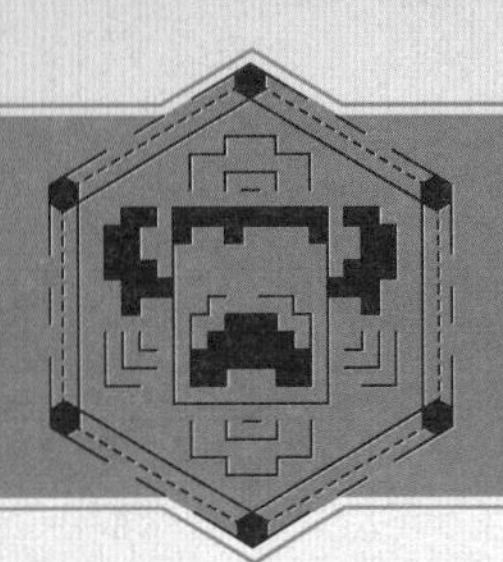

GENERIERTE BAUTEN: FESTUNG

Festungen gehören zu den begehrtesten Bauwerken der Oberwelt. Kein Wunder, denn neben den vielen hier verborgenen Schätzen verbirgt sich zwischen ihren Mauern ein Portal ins Ende.

WIE DU SIE FINDEST

Weil sie immer unterirdisch generiert werden, sind sie nicht leicht zu finden. Du kannst zufällig auf sie stoßen oder ein Enderauge benutzen. Wirf eins und folge ihm in die Richtung, in die es fliegt – es führt dich zur nächstgelegenen Festung.

RÄUME

Einige der vielen Räume in Festungen sehen aus wie Kerkerzellen, in den Korridoren stehen manchmal Truhen, und es gibt sogar einen Springbrunnen. Zudem lauern im spärlichen Licht Monster.

BIBLIOTHEK

Festungen enthalten oft Bibliotheken, die in zwei Größen vorkommen – ein kleiner Einzelraum oder ein großer, der sich über zwei Stockwerke erstreckt. Hier findest du Bücherregale und ein bis zwei Schatztruhen.

ENDPORTAL

Der Portalraum einer Festung ist der einzige Ort, an dem Endportale vorkommen. Alle Abenteurer wollen sie finden, aber nimm dich in Acht vor dem Silberfischchen-Spawner!

GENERIERTE BAUTEN:
ANTIKE STADT

Nur in der Finsternis des Tiefen Dunkels kommen die weitläufigen Komplexe vor, die als Antike Städte bekannt sind. Die tiefe Finsternis macht Details nur schwer erkennbar, aber wenn du vorsichtig vorgehst, wirst du viele Schätze finden.

STATUEN

In der ewigen Dunkelheit wirken die vielen Statuen mitunter wie Schreckgespenster – vor allem im Zentrum, wo eine große Wärter-Statue über die gruseligen Gänge wacht.

EINZIGARTIGE SCHÄTZE

Manche Gegenstände findest du nur in Antiken Städten. Die Bauten bestehen zum Teil aus verstärktem Tiefenschiefer, der mit keinem Werkzeug abgebaut werden kann. Seelenlaternen und Echosplitter hingegen kannst du aufheben und mitnehmen.

VIBRATION

Manche Flure sind mit Teppichen ausgelegt, welche die Vibrationen verringern, durch die dich der Wärter aufspürt. Geh besonders langsam, um ihn nicht zu wecken.

REDSTONE-KELLER

Unterhalb des Bauwerks im Zentrum befindet sich eine Kolbentür, hinter der sich Kellerräume verbergen, die Redstone-Schaltkreise und noch mehr Beute beherbergen.

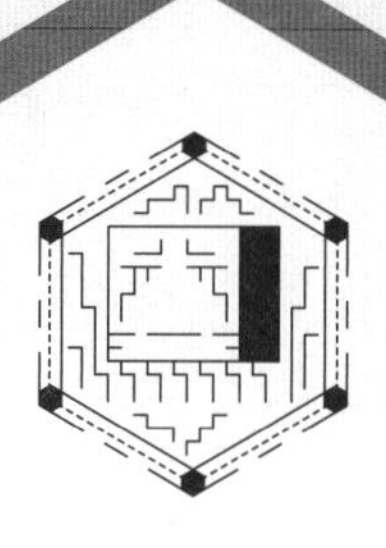

DER NETHER

Die Oberwelt allein bietet schon mehr als genug Orte zum Erkunden, aber wer besonders mutig ist, kann sich zusätzlich in den Nether hinabwagen. Diese von Lavameeren geprägte Dimension könnte für empfindsame Gemüter schwer zu ertragen sein, denn hier lauern zahlreiche neue natürliche Gefahren und Monster.

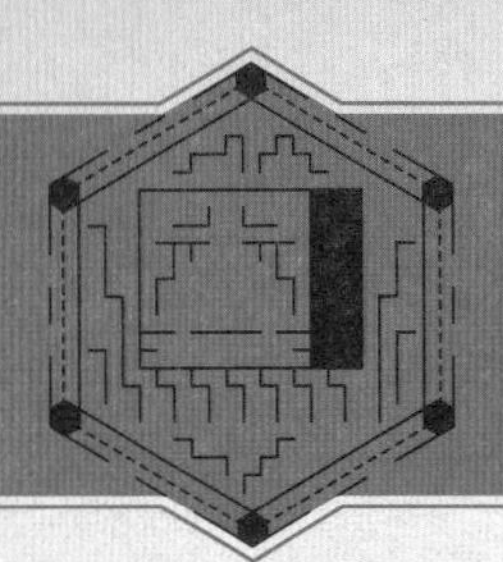

DIE REISE IN DEN NETHER

Um in den Nether zu gelangen, musst du zuerst ein lila glühendes Netherportal bauen. Es besteht aus Obsidianblöcken und führt dich in eine völlig neue Welt.

VORBEREITUNG IST ALLES

Lass dich nicht vom Reisefieber ablenken, und nimm genügend Nahrung, Waffen sowie mindestens ein Goldrüstungsteil und Goldbarren mit, um mit Piglins zu handeln.

OBSIDIAN

Dieses Material kommt in allen Dimensionen vor. Es entsteht, wenn Wasser stehende Lava überfließt, und ist so hart, dass es nur mit einer Diamantspitzhacke (oder höher) abgebaut wird. Für den Bau des Portals brauchst du mindestens 10 Obsidianblöcke.

AKTIVIERUNG

Sobald der Rahmen steht, zünde ihn mit einem Feuerzeug oder anderen Feuerquellen wie Feuerkugeln an, um das Portal zu aktivieren. Um es zu benutzen, stelle dich hinein und warte vier Sekunden.

NETHERPORTAL-BAUPHASEN

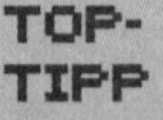

TOP-TIPP

Ein Portal funktioniert auch ohne die vier Ecken.

BIOME:
NETHER-ÖDLAND

Nichts kann dich auf deinen ersten Netherbesuch vorbereiten. Das am häufigsten vorkommende Biom ist das Ödland, eine karge Landschaft aus Netherstein, seltsamen Kreaturen und einzigartigen Gefahren.

TRÜBES GLÜHEN

Obwohl der Nether gruselig und bedrückend wirkt, sorgen die viele Lava und die Glowstone-Haufen an der Decke für viel Licht. Glowstone kann abgebaut und als dekorativer Block verwendet werden.

KEIN RESPAWN

Im Nether findest du schnell heraus, dass ein Bett der beste Weg ist, um keinen Fortschritt zu verlieren ... oder? Nicht so in der Höllendimension! Wenn du dich hier in ein Bett legst, explodiert es!

MOBS UND MEHR

PIGLIN

Diese Monster sind eigentlich neutral, aber werden aggressiv, wenn du nicht mindestens ein goldenes Rüstungsteil trägst. Sie sind wie besessen von Gold – so sehr, dass sie dir im Austausch allerlei Gegenstände wie Enderperlen geben.

GEFAHREN

Im Nether lauern viele Kreaturen, und die meisten sind dir nicht gerade freundlich gesinnt. Aber vor ihnen wegzulaufen, wie du es aus der Oberwelt gewohnt bist, kann inmitten all der Lava schwer sein.

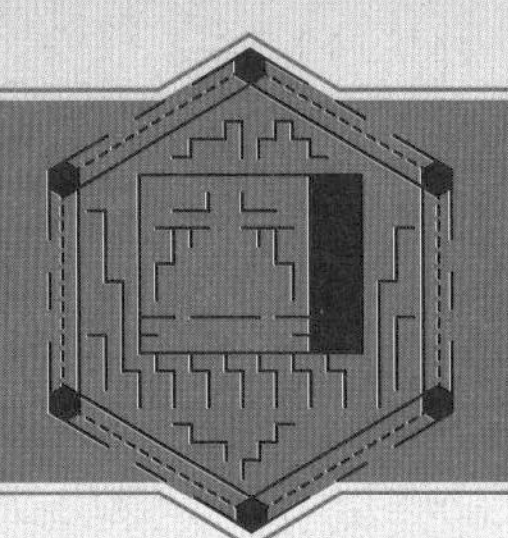

BIOME: NETHERWÄLDER

KARMESINWALD

UNÜBERSEHBAR

Karmesinwälder mit ihren dicht stehenden Pilzen und dem roten Nebel sind schwer zu übersehen. Sie sind zweifellos furchterregende Orte, aber man muss sie gesehen haben.

ABHÄNGEN

Karmesinwälder beherbergen interessante Pflanzen, darunter große Pilze, die wie Bäume anmuten. Rote Trauerranken hängen überall von der Decke und von den Netherwarzenblöcken und können zu Dekorationszwecken mit in die Oberwelt genommen werden.

FUNKENFLUG

Mach dir keine Gedanken wegen der Partikel, die wie Funken durch die Luft schweben – sie schaden dir nicht. Die Lava aber schon, also pass auf, wo du hintrittst!

MOBS UND MEHR

HOGLIN

Karmesinwälder sind die Heimat der Hoglins. Sie spawnen in Herden aus drei bis vier Tieren und sind äußerst angriffslustig. Wenn du einen erlegst, hinterlässt er 2–4 Stücke Schweinefleisch – eine der wenigen verlässlichen Nahrungsquellen im Nether.

Viele fühlen sich im Nether niedergeschlagen und so, als würden sie ihm nie wieder entkommen. Wer sich dennoch dorthin wagt, kann aber auch neue und sogar freundliche Orte entdecken – zum Beispiel die Karmesin- und Wirrwälder. Mal sehen, was sie zu bieten haben …

WIRRWALD

EIN SICHERER ORT?

Nicht ganz! Zumindest spawnen in Wirrwäldern keine Monster … bis auf Endermen, die dir aber nichts tun, solange du sie nicht ansiehst. Die Schreiter auf den umliegenden Lavaseen sind friedlich.

TRÜBE SICHT

Dieser Wald ist nach dem Wirrnetzel benannt, also dem blauen Boden, auf dem er wächst. Dabei handelt es sich um eine Variante des überall vorkommenden Nethersteins, die Wirrwäldern etwas Freundliches verleiht.

VERDREHT

Natürliche Nahrungsquellen gibt es im Wirrwald nicht, aber dafür einzigartige Pflanzen. Nimm dir ein paar verdrehte Ranken mit, die du zum Klettern benutzen kannst. Sie dämpfen sogar Abstürze und verhindern Fallschaden.

MOBS UND MEHR

SCHREITER

Diese Wesen spawnen auf Lava. Reite auf ihnen bis in die versteckteste Winkel des Nethers. Du brauchst einen Sattel und einen Wirrpilz auf einem Stock, um einen Schreiter zu lenken. An Land frieren sie, also reite nicht zu weit.

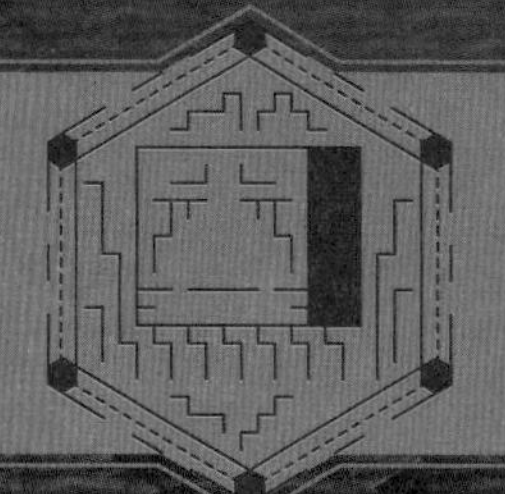

BIOME: SEELENSANDTAL

Der Nether besteht aus vielen, teils riesigen höhlenartigen Formationen, aber keine ist so speziell wie das Seelensandtal. Hier gibt es zahlreiche seltene Blöcke wie Seelensand und Seelenerde und Strukturen wie Knochenfossilien.

FOSSILIEN

Inmitten von all dem dunklen Sand fallen die weißen Knochen sofort ins Auge. Sie können riesig sein und passen bestens in die gruselige Atmosphäre des Bioms.

IN DER LUFT

Das Seelensandtal ist wohl eines der unheimlichsten Biome, auf die du stoßen wirst. Der wabernde bläuliche Nebel ist erfüllt vom Wind, der wie ein Flüstern für Angstschauder sorgt.

SEELENSAND

Seelensand verlangsamt dich, aber auch Monster. Außerdem kannst du damit Wasseraufzüge bauen, denn unter Wasser platziert erschaffen diese Blöcke Säulen aus Luftblasen.

MOBS UND MEHR

GHAST

Diese schwebenden Geister sind extrem aggressiv, also betrachte sie nicht zu lange. Versuche, ihr Jammern zu ignorieren – wenn du ihnen zu nahekommst, bewerfen sie dich mit explosiven Feuerbällen!

BIOME:
BASALTDELTA

Einer der gefährlichsten Orte in der gesamten Oberwelt und dem Nether zusammen! Meide dieses tückische Biom, wenn du kannst! Obwohl es *wirklich* interessant ist ...

TERRAIN

Basaltdeltas sind optisch durchaus ansprechend, was sie umso gefährlicher macht. Die zerklüfteten Hänge und gut versteckten Lavapfützen haben schon viele Abenteurer in den Tod gelockt, also sei besonders vorsichtig.

MAGMACREME

Eine der größten Beutequellen dieses Bioms ist Magmacreme. Sie wird von Magmawürfeln fallen gelassen und kann zum Brauen von Feuerwiderstands-Tränken oder zum Herstellen von Magmablöcken benutzt werden. Letztere eignen sich als Lichtquelle – tritt nur nicht drauf!

MOBS UND MEHR

MAGMAWÜRFEL

Sie sehen zwar anders aus als Schleime, verhalten sich aber sehr ähnlich. Allerdings springen Magmawürfel deutlich höher und bewirken viel mehr Schaden.

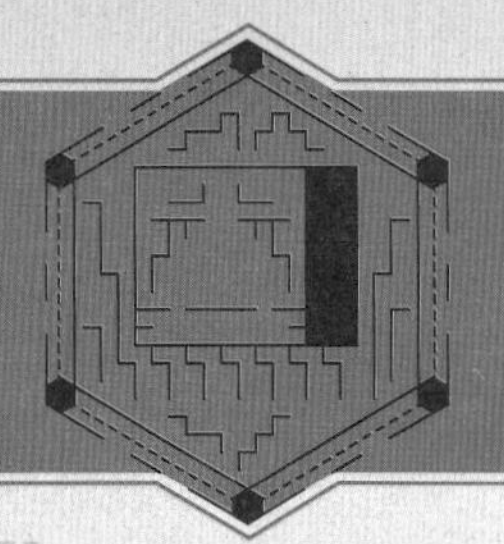

GENERIERTE BAUTEN: BASTIONSRUINE

Diese epischen Burgruinen sind wahrhaft beeindruckend. Sie kommen überall im Nether außer in Basaltdeltas vor, werden in vier verschiedenen Varianten generiert und sind doch unverwechselbar.

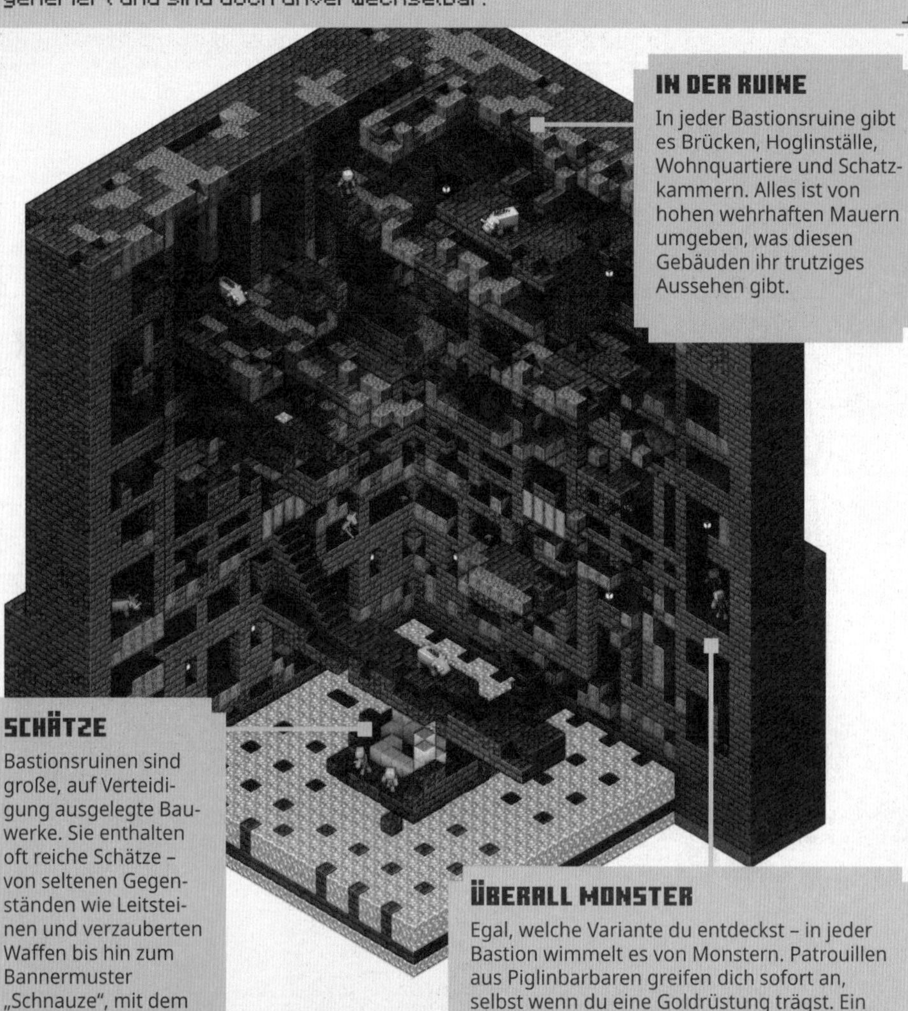

IN DER RUINE

In jeder Bastionsruine gibt es Brücken, Hoglinställe, Wohnquartiere und Schatzkammern. Alles ist von hohen wehrhaften Mauern umgeben, was diesen Gebäuden ihr trutziges Aussehen gibt.

SCHÄTZE

Bastionsruinen sind große, auf Verteidigung ausgelegte Bauwerke. Sie enthalten oft reiche Schätze – von seltenen Gegenständen wie Leitsteinen und verzauberten Waffen bis hin zum Bannermuster „Schnauze", mit dem du dein Zuhause schmücken kannst.

ÜBERALL MONSTER

Egal, welche Variante du entdeckst – in jeder Bastion wimmelt es von Monstern. Patrouillen aus Piglinbarbaren greifen dich sofort an, selbst wenn du eine Goldrüstung trägst. Ein einziger Treffer dieser Kraftprotze kann dich töten, also sei auf der Hut!

GENERIERTE BAUTEN:
NETHERFESTUNG

Wie der Name schon sagt, sind Netherfestungen gewaltige Gebäude, und sie kommen überall im Nether vor. Brücken, Flure und Türme bilden einen Irrgarten, der von ein paar ganz speziellen Monstern bewacht wird.

NETHERFESTUNG

Sie bestehen aus Netherziegeln und gehören zu den am schwersten zu erobernden Gebäuden, die es in Minecraft gibt.

MOBS UND MEHR

LOHE

Lohen sind schwebende aggressive Monster, deren Dreifach-Feuerbälle großen Schaden anrichten. Wenn du eine erledigst, lässt sie vielleicht eine Lohenrute fallen, aus der du Lohenstaub herstellen kannst – die wohl wichtigste Brauzutat!

SPAWNTEMPO

Netherfestungen sind die Heimat der Lohen und Witherskelette – zweier Monster, die sonst nirgendwo vorkommen. Außerdem spawnen hier mehr Monster als anderswo, du wirst also dein ganzes Können aufbringen müssen.

BEUTE

Mutige Abenteurer, die eine Netherfestung erkunden, können auf Truhen mit großen Schätzen stoßen. Sie stehen in den langen Korridoren und enthalten goldene Pferderüstungen, Obsidian, Diamanten und Netherwarzen – die zweitwichtigste Brautzutat.

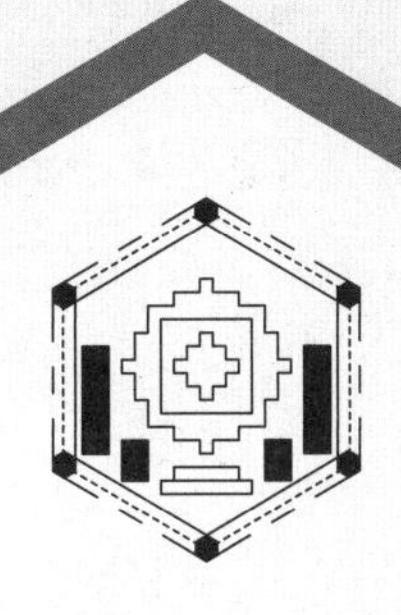

DAS ENDE

Gut gemacht, du bist weit gekommen und hast die unterschiedlichsten Umgebungen, Bauten und sogar andere Dimensionen gefunden. Aber deine größte Prüfung steht dir noch bevor. Allein hierherzufinden wird dir einiges abverlangen, und das ist erst der Anfang, denn hier zu überleben ist ein ganz anderes Kapitel. Willkommen im Ende!

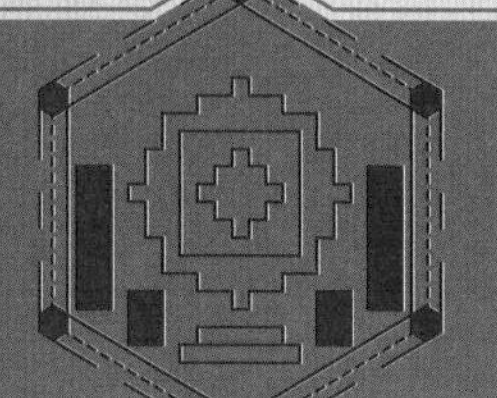

WIE MAN INS ENDE GELANGT

FESTUNG

Nutze Enderaugen, um eine Festung (siehe S. 74) zu finden – und mit ihr den Portalraum. Um ein Enderauge herzustellen, kombiniere Lohenstaub mit einer Enderperle. Manchmal zerbrechen sie übrigens, also lege dir einen guten Vorrat an!

MOBS UND MEHR

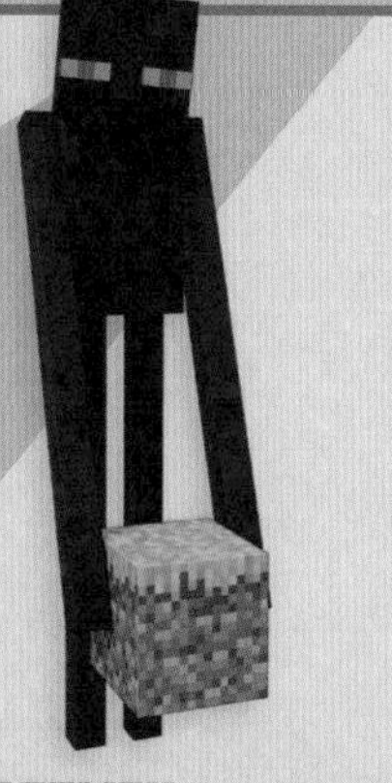

ENDERMAN

Der Name sagt alles – diese Monster können dir ein Ende setzen! In der Oberwelt spawnen sie allein, im Ende in Gruppen von bis zu vier. Sie sind passiv, bis du sie ansiehst, und können sich blitzschnell zu dir teleportieren!

PORTALRAUM

Der Portalraum enthält immer einen vollständigen Endportalrahmen, du brauchst ihn also nicht zu bauen wie das Netherportal. Die Rahmenblöcke können nicht abgebaut werden. Sie kommen nur in diesen Räumen vor und müssen aktiviert werden.

Das Ende ist einer der am schwierigsten zu erreichenden Orte in Minecraft. Du wirst weite Teile der Oberwelt und des Nethers erkunden müssen, ehe du endlich das Endportal betrittst. Aber dieses Portal aufzuspüren ist nur der Anfang deiner bislang größten Herausforderung.

AKTIVIERUNG

Die Aktivierung eines Endportals ist einfach – du musst nur bis zu zwölf Enderaugen in die Rahmenblöcke einsetzen. Stelle sie her, indem du Lohenstaub mit Enderperlen kombinierst.

ENDPORTAL-RAHMEN

ENDER-AUGE

TELEPORTATION

Wenn du alles richtig gemacht hast, kannst du das Portal nutzen, um ins Ende zu gelangen. Spring einfach hinein, dann landest du auf einer Obsidianplattform im Ende.

BIOME: DAS ENDE

UMGEBUNG

Die große Hauptinsel ist von mehreren kleineren umgeben. Der Endstein, aus dem sie bestehen, lässt sich leicht mit einer Spitzhacke abbauen.

IN DER FERNE

Die kleinen Inseln haben viel zu bieten, aber sie sind Tausende Blöcke von der Hauptinsel entfernt und können nur mittels eines Endtransitportals erreicht werden, das erst spawnt, wenn du den Enderdrachen besiegt hast.

DAS ENDE VOM ENDE

Hast du das Ende einmal betreten, kommst du nicht mehr weg, es sei denn, du stirbst oder besiegst den Enderdrachen. Dieses wohl berühmteste Bossmonster von Minecraft spawnt, sobald du eintriffst. Nach seinem Tod spawnt ein Endtransitportal, das ins erweiterte Ende führt, sowie ein Ausgangsportal, das dich zu deinem Spawnpunkt in der Oberwelt zurückbringt.

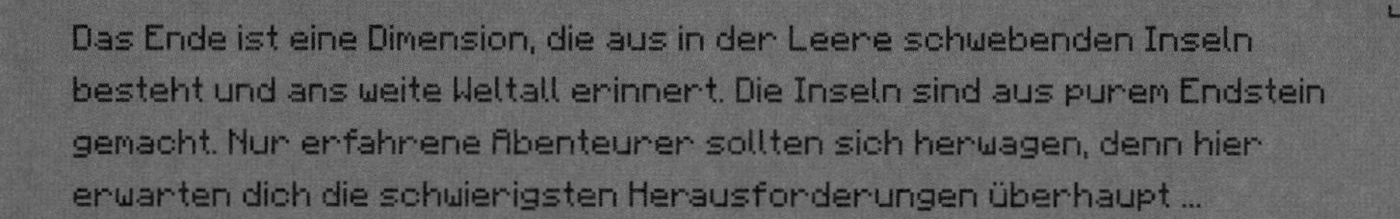

Das Ende ist eine Dimension, die aus in der Leere schwebenden Inseln besteht und ans weite Weltall erinnert. Die Inseln sind aus purem Endstein gemacht. Nur erfahrene Abenteurer sollten sich herwagen, denn hier erwarten dich die schwierigsten Herausforderungen überhaupt …

MOBS UND MEHR

ENDERDRACHE

Sieh zum Endhimmel hinauf … dort fliegt der Enderdrache – ein riesiges Monster, das seine Runden um die Obsidiansäulen zieht und dich mit scharfen Klauen und giftigem Atem angreift. Nur erfahrene Abenteurer können es besiegen.

BAUWERKE

Die Inseln im erweiterten Ende beherbergen einzigartige, interessante Bauten: Endsiedlungen und Endschiffe. Auf den Schiffen findest du reich gefüllte Schatztruhen sowie die begehrten Elytren, mit denen du in allen Dimensionen durch die Luft gleiten kannst. Nimm sie unbedingt mit!

GENERIERTE BAUTEN: ENDSIEDLUNG

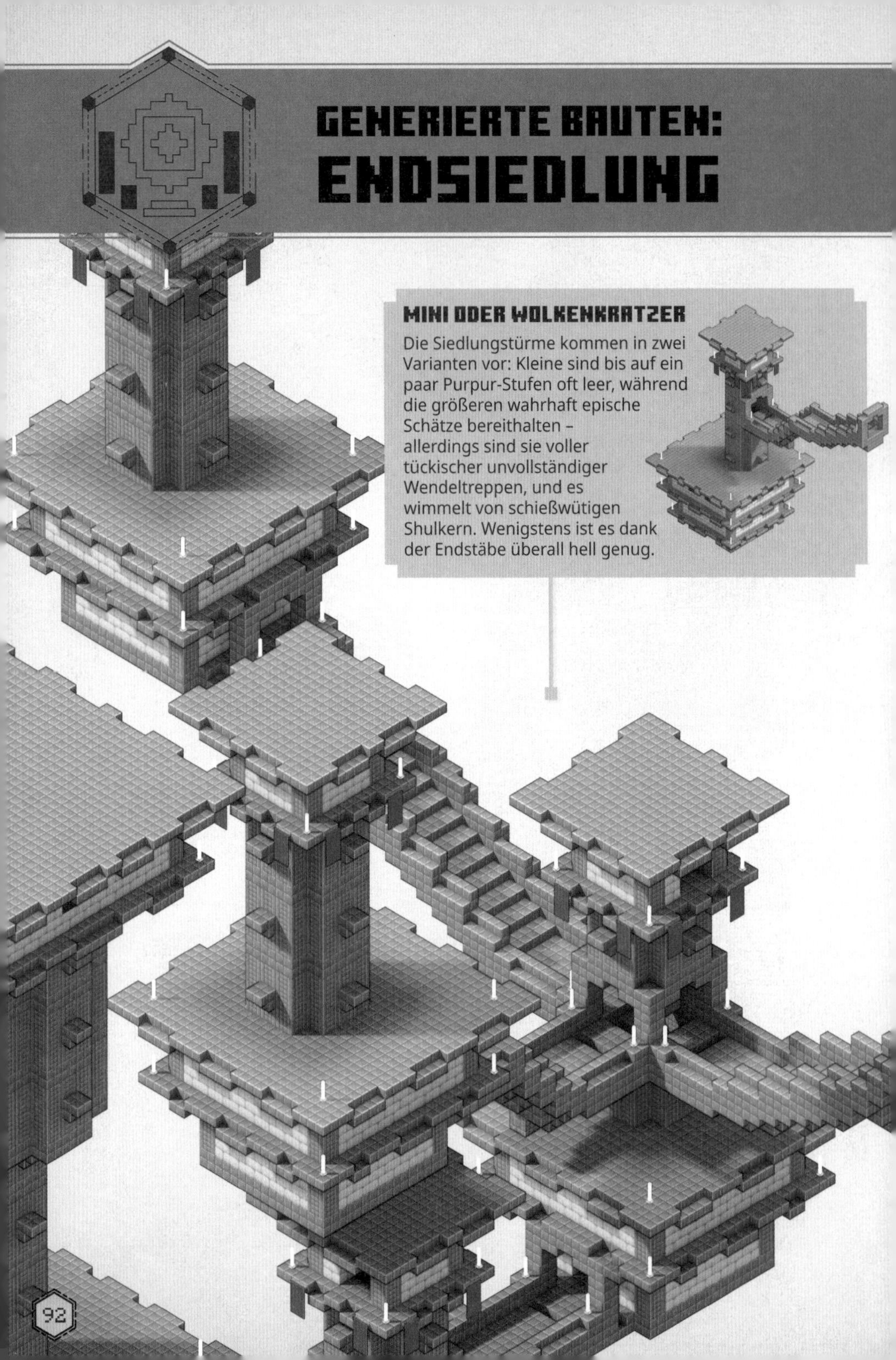

MINI ODER WOLKENKRATZER

Die Siedlungstürme kommen in zwei Varianten vor: Kleine sind bis auf ein paar Purpur-Stufen oft leer, während die größeren wahrhaft epische Schätze bereithalten – allerdings sind sie voller tückischer unvollständiger Wendeltreppen, und es wimmelt von schießwütigen Shulkern. Wenigstens ist es dank der Endstäbe überall hell genug.

Diese eigentümlichen Gebilde aus Endsteinziegeln und Purpurblöcken kommen nur auf den Inseln im erweiterten Ende vor. Die größten erinnern an riesige Komplexe wild wuchernder Pflanzen, die kleinsten bestehen aus einzelnen Türmen, und sie können Tausende Blöcke voneinander entfernt sein.

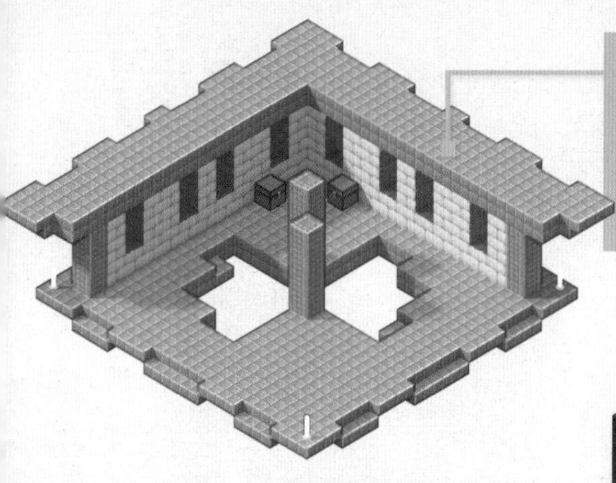

RÄUME

Die zahlreichen Räume unterscheiden sich von Turm zu Turm. An den Bannerräumen zum Beispiel hängen draußen markante Banner, und im Inneren lauert ein Shulker. Beuteräume enthalten zwei Truhen mit wertvollen Gegenständen.

ENDERTRUHE

Manchmal stehen in Endsiedlungen Endertruhen herum. Sie sind wie normale Truhen, aber ihr Inhalt variiert je nach Spieler – wie ein Tresor, in dem du deine wertvollsten Güter aufbewahren kannst, und der von jeder Endertruhe aus zugänglich ist.

RÜCKKEHR IN DIE OBERWELT

Im Ende gibt es so viel zu entdecken, dass du womöglich nie wieder in die Oberwelt zurückwillst. Wenn du es schließlich doch verlässt, musst du nur das Ausgangsportal betreten. Die Oberwelt wartet!

AUF WIEDERSEHEN

Was für eine Reise! Wir haben alle Ecken der Oberwelt erkundet, uns in den Nether gewagt und sogar das Ende gefunden.

Jetzt gibt es nur noch eins zu tun – und zwar, das Gelernte zu nutzen, um deinen eigenen Weg zu gehen!

Wohin wird er dich führen? Vielleicht in die Wüste, wo du und ein Freund ein Kamel findet und auf ihm bis zum Meer reitet? Oder willst du ein paar Piglins suchen, um mit ihnen zu handeln? (Vergiss nicht, Gold mitzunehmen!) Oder vielleicht hast du ja auf Reisen den perfekten Ort für eine brandneue Basis entdeckt!

Wo immer du auch hingehst, am Horizont wartet immer noch mehr. Also rüste dich gut aus und bleib neugierig.

Setze deine Reise mit der offiziellen Minecraft-Handbuchreihe fort, die Anleitungen zum Überleben, für den Kreativmodus, für Kämpfe, Redstone und so weiter bietet …

VIEL SPASS BEI DEINEN ABENTEUERN!

- MOJANG STUDIOS

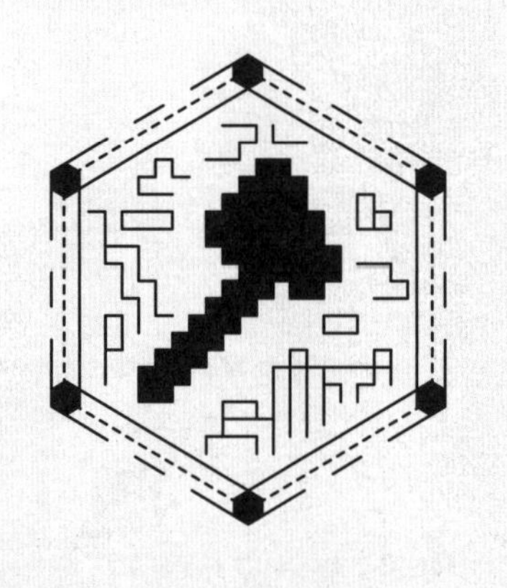